今年春色胜常全
此夜风光最可怜
鳷鹊楼前新月满
凤凰台上宝灯燃

故宮の初雪

故宮の城壁

雨あがりの故宮の神武門

浴火重光──アフガニスタン国立博物館宝物展

故宮博物院所蔵四僧書画展

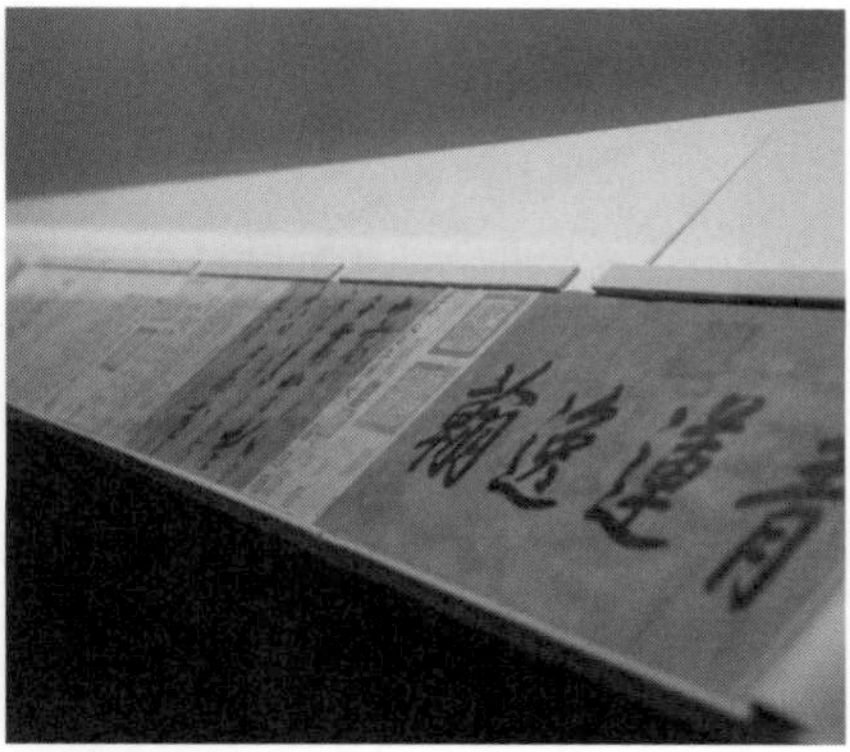

張伯駒書画特別展

趙孟頫書画特別展

紫禁城と「海のシルクロード」展

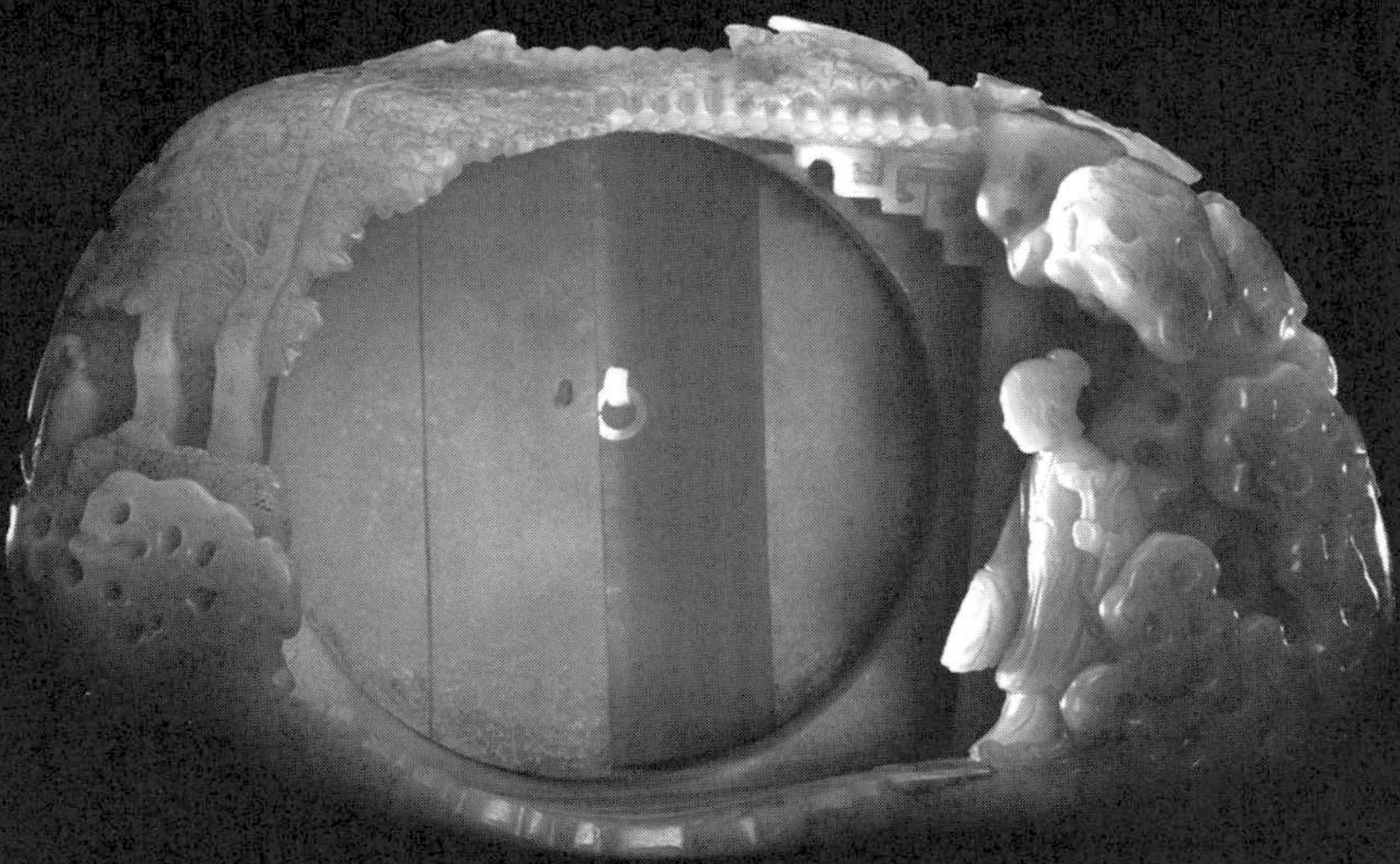

帯皮青玉月門

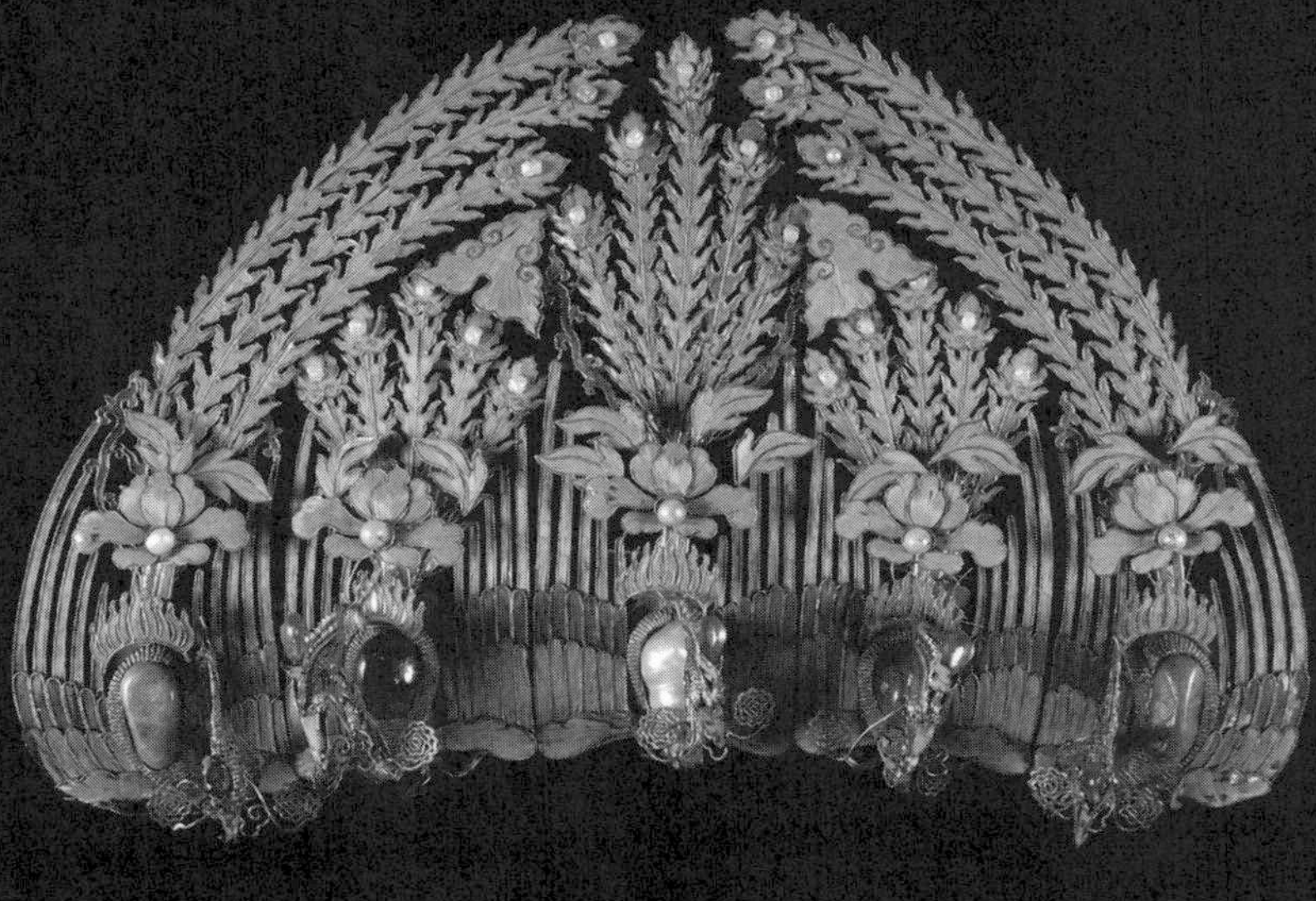

銀メッキ金象嵌珠宝五鳳凰紋鈿尾

宋鈞窯月白釉出戟尊

漢西郷侯張君会見残碑

二〇一七年、故宮博物院で開かれた「浴火重光—アフガニスタン国立博物館の宝物展」

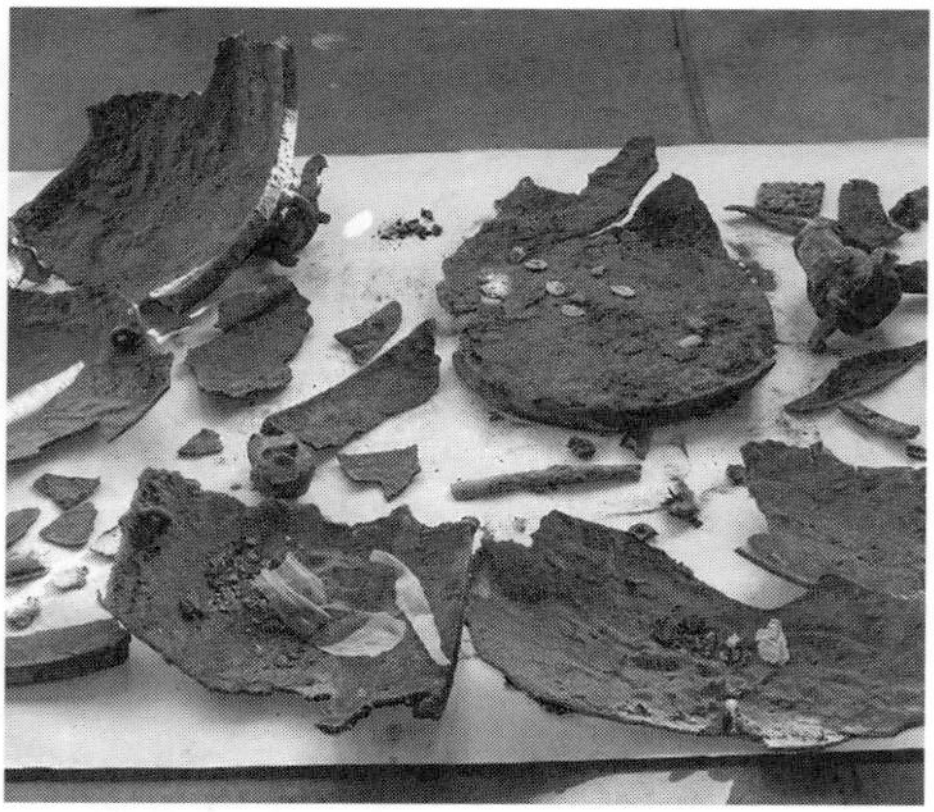

青銅器の修復1――破片の整理

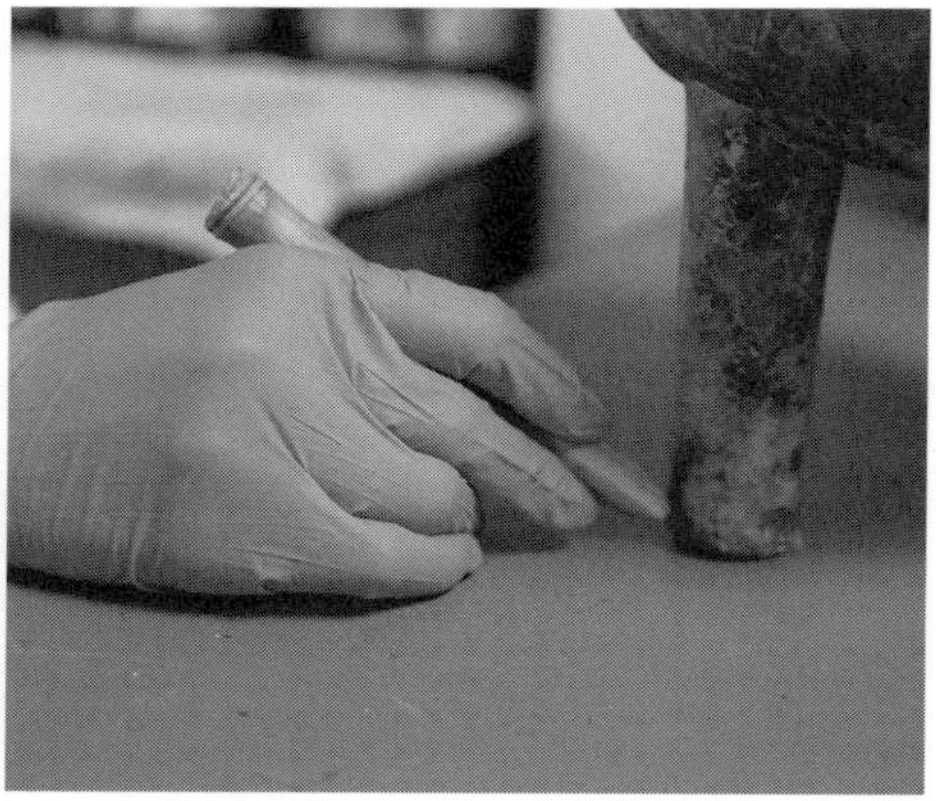

青銅器の修復2――物理的方法での錆取り

青銅器の修復3――化学的方法での錆取り

青銅器の修復4――整形

青銅器の修復5――溶接・貼り付け

青銅器の修復6――つなぎ合わせ

青銅器の修復7——補完

青銅器の修復8——色付け

イギリスのからくり時計（修理後）

修復後の木楼銀象嵌飾り時計

掐糸琺瑯器「纏枝蓮紋螭耳熏炉」

修復後の象牙製群仙祝寿塔

デジタル多宝閣

宝石の埋め込まれた金銅仏立像

掐糸琺瑯器「纏枝蓮紋龍耳瓶」

紫禁城
上元之夜

上新了故宫

故宮文化財病院を観覧するトランプ大統領夫妻

ミシェル・オバマと一緒に（二〇一四年三月二十一日）

フランスのオランド大統領の観覧を接待（二〇一三年四月二十六日）

「太和・世界古代文明保護フォーラム」の閉幕大会
（二〇一七年九月二十一日）

大英博物館と協力に関するメモランダム・オブ・アンダースタンディングを取り結ぶ（二〇一二年十月十五日）

我是故宫「看门人」

私は故宮の「門番」

単《ゼン》霽翔《セイショウ》 著
福井ゆり子 訳

はじめに

私は故宮の「門番」

私は二〇一二年一月に故宮博物院にやって来て仕事を始めた。

故宮博物院には多くの「世界で最たるもの」があって、例えば世界で最も規模が大きい、世界で最も完全な宮殿群、世界で最も豊富に中国の文物を収蔵しているところ、最も貴重な宝庫、毎年世界で最も多くの観光客がやって来る博物館などだ。

一つの場所でこんなに多くの「最たるもの」があるところで働くのだから、誇りと責任を感じないわけがない。けれど、私が実際に故宮博物院の職員となり、毎日観光客の中を歩き回り、彼らの間に身を置いてみると、こうした「世界一」を味わうことは非常に難しかった。なぜなら、これらの「最たるもの」はまだ完全に体現されておらず、たくさんの改良の余地があったからだ。

故宮博物院の敷地は広大だが、ほとんどが未開放地区である。故宮博物院の収蔵品は多いが、九九%の収蔵品は倉庫の中で眠っていて、展示されているものは一%にも満たない。故宮博物院にやって来る観光客は最も多いが、彼らは受けるべきもてなしを受けていない。ほとんどがガイドの旗とともに歩き、あまり専門的とはいえない解説を聞いている。多くの観光客は皇帝がどのような場所に座って、寝て、結婚式を執り行ったかを見て、そして珍宝館、時計館を見学後、御花園でちょっと休憩し、故宮博物院を出て行く。私にしてみれば、このような観光は、「我ここに来たり」の落書きのようなものだ。われわれはこの博物館の魅力を十分に人々に見せていないのだ。

こうした「最たるもの」は重要ではあるが、最も重要だとは思わない。時代の発展につれ、人々は質の高い文化生活にさらなる憧れを抱くようになっている。こうした時代には、故宮の文化遺産がいったいどの程度人々の現実の生活に貢献できるかということこそ、最も重要なのだと思う。一人ひとりの観光客からすれば、彼らが故宮博物院から出て行く時、今回の得難い文化の旅でいったい何の収穫を得ることができたかを回顧することこそ、最も重要なのだ。故宮博物院には「人間本位」という管理理念が欠けていて、見る人に対する配慮が足りず、それは変える必要があった。

習近平主席は、「系統的に伝統文化の資源を整理し、紫禁城内に収蔵されている文化財、広い大地の上に陳列されている遺産、古籍の中に書かれている文字をすべて活かすべきだ」と指摘している。ここ数年、まさにこうした伝統的な文化資源を系統的に整理し、文化財を「活かす」ことで、われわれは故宮博物院事業の健全な発展を実現したのである。

今まで、歴史研究・考古学研究・博物館管理に従事する際、文化遺産を今の社会からはほど遠い「過去の遺物」とみなしていて、これらは鑑賞され、研究される対象物に過ぎなかった。しかし、文化財を「活かす」には、文化財を再び人々の生活の中に戻さなくてはならない。これらの文化財が現実生活の中で意味をもつと感じられることではじめて、人々は本当の意味で文化遺産を保護するようになる。保護を受けることで、文化遺産が尊厳と魅力をもつようになり、尊厳と魅力をもつ文化遺産だけが、社会発展を促進する積極的なパワーとなり得るのだ。文化財が社会発展を促進するパワーになれば、より多くの人に恩恵や影響を与えることができ、より多くの人が文化遺産保護の行列に加わるようになる。これこそ好ましい循環といえる。

私にとって、良い博物館の定義とは、立派な建物があることではなく、その文化資源を深く掘り起こして、その文化エネルギーを引き出し、良い展覧やイベントを開いて、実生活の中で博物館の意義を感じ取ることができるものだ。暇があれば博物館に行き、博物館に行くと帰るのも忘れ、去り難く感じさせ、家に戻ってからも忘れることができず、再び博物館にやって来る。こんな博物館こそ良い博物館であると思う。

「門」の中に「活」という字を入れると「闊」という漢字になるが、この漢字は「広い」「果てしない」という意味をもつ。故宮博物院で七年余り仕事をしてきたが、私というこの「門番」がやったきたことは、すべて「活きる」の活という字を、故宮の「門」の中に入れ、故宮という文化遺産を人々の生活に近づけ、より広い空間に向かわせるためであったといえるだろう。

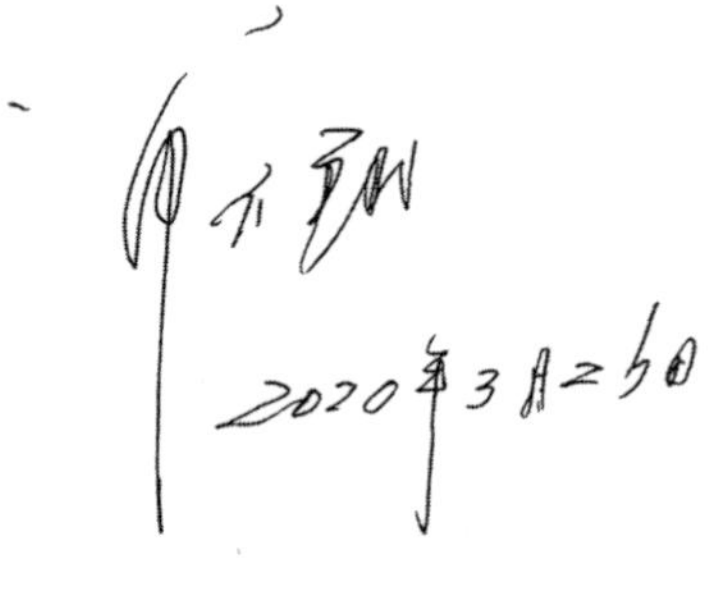

目次

壹

第一章

壮大で美しい紫禁城を完全なまま次の六百年に引き渡すために

「故宮」には多くの名称があり、それぞれ異なる身上を示している。

まず、これは紫禁城と呼ばれ、明・清代の皇帝の宮殿であり、世界で最も大規模で、最も完全な宮殿建築群である。

二番目の名前は故宮という。一九一二年二月に清の宣統帝が退位を宣告してから、故宮という名になった。今日ここには歴代の文物所蔵品が保管され、世界でも中国の文化財を最も豊富に収蔵する、世界で最も貴重な宝庫となっている。

三番目の名前はさらに遅い。一九二四年、馮《ふう》玉祥《ぎょくしょう》が起こした「北京政変」により、最後の皇

帝溥儀が宮殿から追い出されると、一九二五年十月十日から、また新しい名前がつき、故宮博物院という一般に開かれた公共文化施設となった。今では、世界で年間の入館者数が最も多い博物館となっている。

明の永楽十八年（一四二〇年）の完成から数えると、二〇二〇年に紫禁城は建設六百周年を迎えた。「壮大で美しい紫禁城を完全なまま次の六百年に引き渡す」というのが、われわれが社会に対して行った厳粛な約束だ。

前仆後継《ぜんふこうけい》——歴代「故宮人」の努力

一つの事業を一代そしてまた一代と受け継いでいき、どの世代も後に続く人たちの基礎となるような仕事をすべきである。これが私の「前仆後継《ぜんふこうけい》（先人の屍を乗り越え後に続く）」という言葉の解釈だ。

故宮博物院の発展は、まさに代々の院長やあらゆる「故宮人」たちのたゆまぬ努力があってこそだ。

故宮博物院の初代院長は易培基《いばいき》先生であった。

一九二四年十一月に溥儀が宮殿から追い出された後、北洋政府の命により清室善後委員会が成立し、李石曾が委員長となり、易培基先生が委員となって、故宮の接収を担当した。易培基先生は故宮博物院の設立計画を取り仕切り、一九二八年二月に国民政府により、正式に故宮博物院の初代院長に任命された。

彼は四年間院長を務め、故宮博物院のさまざまな業務を軌道にのせた。彼は故宮博物院の組織を調整し、著名専門家や学者に文化財と非文化財のより分け・整理を委託し、初めての「完全故宮保管計画」を提出した。テーマ別の展示室を開設し、古建築の修理を行って、書画用新倉庫も建てた。彼はまた、印刷所も設立して書籍出版を行い、『故宮週刊』を創刊し、続けて『故宮月刊』『故宮季刊』など四、五種類にわたる刊行物を発行した。

彼が中心となって、宮殿の修理、陳列・展示、収蔵品保管と分類・目録作り、文献整理、そして編集・出版が行われ、版本鑑定、目録作り、書庫分類など各方面にわたる際立った成果を得て、故宮博物院は大いに発展した。一九三三年、日本軍が山海関を攻め落としたため、国宝の移動が急務となり、易培基先生は貴重な文化財を南へと避難させる仕事に取り組み、次の院長の仕事の基礎を築いた。

故宮博物院の第二代院長は馬衡《ばこう》先生であった。馬衡先生は中国の近代博物館事業の開拓者であり、故宮博物院の事業の基礎を築いた人物でもある。彼は一九二四年十一月に清室善後委員会の顧問となり、清宮殿収蔵品の調査に加わり、故宮博物院の創設計画にも参加していた。彼は故宮博物院で二十七年間仕事をし、その間故宮博物院の第二代院長として故宮博物院を十九年にわたって統率し、自ら故宮博物院の創設と初期発展も経験して、院史上、功績が卓越した指導者の一人だ。

一九二五年に故宮博物院が創設された当初、馬衡先生は故宮博物院理事会理事、古物館副館長を務めた。彼は北京大学での仕事の経験と方法を参考にして、実際に古物館の日常業務を取り仕切った。彼は「故宮博物院古物館業務細則」を起草して、文化財保管規定や取り出し手順などを決め、同時に古物館の人々を引き連れ、文化財調査や鑑定を行い、自ら銅器類文化財の調査・鑑定を行った。この調査は、院が収蔵する文化財に対する初めての系統だった調査・鑑定であり、文化財研究と展示に非常に重要な役割を果たした。

一九三一年に起きた満州事変後、故宮博物院は文化財を南へ避難させるよう命じられた。馬衡先生は古物館の同僚と共に文化財の箱詰め作業に全力を投入した。

重く貴重な石鼓から、薄くて脆い書画に至るまで、一万三千四百二十七箱と六十四包の文化財や書類が、日夜を分かたず続けられた作業の中できちんと安全に箱詰めされ、続々と北平（北京の旧称）を離れた。

彼の歴史的功績は以下の二点に集約することができる。一つは抗戦期に宝物を南へと避難させ、またそれを戻したこと。もう一つは解放戦争期に宝物を守り、避難を拒絶したことだ。

一九三三年七月、易培基院長が「故宮宝物横領事件」で濡れ衣を着せられ辞職すると、馬衡先生がその後を引き継いで故宮博物院の院長代理となり、翌年四月に正式に院長となって、全院の事務の責任を負った。任命されるとすぐ、彼は故宮博物院の北京に残された文化財の点検と上海に運ばれた文化財の確認作業を行った。この時、故宮博物院は外からは侵略者の騒擾《そうじょう》を受け、内部では文化財避難による困窮にあえぎ、「存亡の危機」に直面していた。馬衡先生はこうした時代に故宮博物院を管理し、混乱した時局の中で国宝の保護に精魂を傾けた。彼の指導のもと、故宮博物院の、北京に残された文化財と上海に移された文化財は適切に数の点検が行われ、目録が作成された。

一九三七年の盧溝橋事件後、馬衡先生は南に運ばれた故宮博物院の文化財をさらに西へと避難させることにした。彼は自ら多くの候補地を視察し、後に重慶に駐在して各事務局の仕事を指揮した。国家の差し迫った危機の中で、彼はしっかりと故宮という貴重な民族文化の至宝を守ったのだ。

動揺と離散の中でも、各種の展覧を行うことは忘れず、例えば英国・ロンドンで開催された「中国芸術国際展覧会」に参加したり、ソ連・モスクワの「中国芸術展覧会」に参加したりするなどして、民族精神を伝え、中国の抗戦の決意を明らかに示した。

抗戦が勝利に終わった後、彼は故宮博物院を東の南京へと戻す作業を指揮した。その後、故宮博物院の文化財は続々と北へと戻り、彼は清の宮殿の散逸した文化財の受け入れを始め、陳列展示を行い、博物館業務はしだいに回復していった。

一九四八年、国民党は故宮博物院南京分院と北平（北京）の故宮本院の文化財を台湾へと運ぼうとした。馬衡先生は箱詰め作業を「慌てず急がず」を口実にして引き延ばした。その結果、北平本院にある文化財は一箱たりとも持ち去られることはなかった。

中華人民共和国成立後、馬衡先生は院長の職に留任し、故宮博物院を新たな時代へと導いたのである。

一九五二年、七十を過ぎていた馬衡先生は故宮博物院を去った。またこの年、彼は自らが集めた甲骨や碑帖など四百点余りの貴重な文化財を、生涯心血を注いだ故宮博物院に寄贈した。

私が一番感動させられたのは、馬衡先生は生命の最後の時にも心静かに漢・魏の石経（石に刻まれた道教や仏教の経典）の整理・研究を行っていたことだ。郭沫若《かくまつじゃく》先生に銅器の拓本を送ってもらって、病気の苦痛をものともせず、欣然と比較対照・考証を行い、病気をさらに重くした。また、彼が亡くなった後、遺族は彼の遺志を尊重し、家にあった何万点もの拓本や書籍をすべて故宮博物院へ寄贈した。彼が亡くなってからもう長い時間が経ったが、彼の品格や懐の深さは故宮精神の中に溶け込んでおり、後世にまで恵みをもたらす貴重な財産となっている。

故宮博物院の第三代院長は呉仲超《ごちゅうえつ》先生である。

呉仲超先生は長い試練に耐えた革命家であった。解放戦争の時期には、党や人民のために大量の貴重な文化財を収集・保存していた。一九五四年、中国共産党華東局が廃止されると、彼は故宮博物院で院の業務を取り仕切るようになった。この時から、彼は故宮博物院の新時代のモデルチェンジと発展のための荊の道を切り開き、社会主義建設初期であっても、改革開放に入ってからであっても、ずっと卓越した功績を得て、歴史的試練に耐え抜いた。彼と共に奮闘したこの世代の「故宮人」は、故宮博物院事業の新たな局面を切り開くと同時に、豊富な精神的財産を創造・蓄積し、時代性を兼ね備えた故宮博物院の特色という優れた伝統を形づくったのである。

彼が着任したばかりの頃、故宮博物院は中華人民共和国創設初期の五年間の発展を経て、多くの問題を抱えていた。故宮博物院の「ゴミの山」という環境を変えるため、彼は文化部や解放軍の支援を得て、大々的な清掃作業を行った。統計によると、この時の故宮の大清掃で運び出されたゴミや堆積した土砂、壊れたレンガなどは計二十五万立方メートルに及んだという。同時に人を集めて故宮の水路をさらい、水路の壁を直し、環境を緑化して、故宮博物院の姿を変えた。六〇年代に溥儀が故宮博物院を観覧した際、故宮の環境が美化されていることに感嘆したそうで、ここからも環境整備の必要性とその効果が見て取れる。

在任中の三〇年間、呉仲超先生は一貫して故宮博物院の現状に立脚し、実際の状況から出発して、まず際立った問題について調査・研究し、それから解決方法について研究・討議して、その後計画を立て、段階的・集中的にその仕事を行った。こうした勇ましく前進していく革命精神と実際の状況に基づいた正確な管理方法は、われわれが学び、手本にするに値するものであった。課題が山積という現状に対し、彼は率先して機関の設置・調整・整理などの管理体制改革を行った。今までの保管部・陳列部・群衆工作部そしていくつかの専門委員会という基礎の上に、学術・編集出版、文化財収集、文化財調査、文化財鑑定、文化財修復などの委員会を増設し、さらに古建築修繕処、研究室、紫禁城出版社などの業務部門を増設した。同時に故宮博物院の古建築修理、文化財保管、陳列展示、学術研究などの専門化も推し進めた。かつ、組織の発展に合わせ、常に規定や制度の改定や整備を行って、絶えず人員配置と人材育成を強化し続けた。

呉仲超先生は古建築保護や文化財保管、陳列展覧業務、人材管理方面で一連の模索を行ったが、すべて画期的なものであり、後の故宮博物院の全体発展と具体的業務の基礎となった。

古建築保護の方面では、五〇年代、故宮博物院は「保護を大切にし、修繕に重点を置き、全面的に計画し、逐次実施する」という修理方針と、「予防を主として防火を重点とする」安全保護方針を明確にした。文化大革命以前に重点修理工事の多くを完成させている。七〇年代、さらに中軸線上にある前三殿・後三殿の殿宇の装飾画の大規模補修も行って、重点地域の建築の姿を一新した。一九七四年、国務院は「故宮博物院五年古建築修繕計画」を承認し、この計画に基づき、故宮博物院は午門《ごもん》雁翅楼《がんしろう》、東南角楼、皇極殿、後三宮、鐘粋楼、景仁宮、擷《けつ》芳斎などの多くの建築の修理と装飾の塗り直しを行い、建築の外観が一新された。この後、故宮の古建築には日常的なメンテナンスが行われ、保護と保養に重点が置かれた。こうした古建築の保護・修理作業の中で、呉仲超先生は科学的で合理的な作業を極めて重視した。例えば、古建築修理は「古いものを新しいもののようにする」か、それとも「古いものを全部古い姿のままに」か、「古いものをほぼ古い姿のままに」なのか、こうした異なる観点について、呉仲超先生は院の内外の専門家を集めて研究・討論したほか、各種の考えに基づく修理法を制定し、試験的な実践を行って、しだいに故宮の古建築にふさわしい修理手順や技術、そして経験を編み出していったのである。

文化財の保護・管理において、収蔵品の数がはっきりしないという問題を解決するため、呉仲超先生は反対意見を顧みず、文化財整理作業に力を注いだ。一九五四～一九五七年、文化財整理、非文化財処理、倉庫の縮小、専門倉庫の設立を内容とする「歴史的休眠在庫物整理規則」と「非文化財物資処理暫定規則」を制定し、同時に一九二五年「故宮物品点検報告」と一九四五年の「留院文化財受取報告」を参照して、故宮の文化財の点検・鑑別・分類・目録作成を行った。この時の整理で、貴重文化財二千八百七十六点が緊急保護を受け、そのうち一級文化財は五百点あった（商代の三羊尊、宋徽宗の『聴琴図』など）。一九六〇～一九六五年、関連規定に基づき、収蔵品に対しランク分け鑑別を行い、収蔵する文化財の総登記帳をつくり、各文化財専門倉庫の種類別文化財登記帳を確認した。この複雑で大がかりな仕事は十年余りにわたって続き、最終的に故宮の旧収蔵品を集成した「故」の字番号の文化財登記帳と、一九五四年に登記が始められた「新」の字番号の文化財登記帳とを併せて故宮博物院の収蔵品総登記帳が作成され、基本的に院が収蔵する文化財の細目がすべて明らかにされた。

陳列・展覧業務の方面では、呉仲超先生は一貫して科学的管理の理念をもち、故宮博物院は歴史芸術・古建築・宮廷という三大体系を一体とした総合的古代芸術博物館であるという基本的定義を定めた。この方針は基本的に今後三十年間の故宮古建築保護と陳列・展覧の発展方向と基本構造を確立するものとなり、現在にもその影響を及ぼしている。原状陳列とテーマ別陳列とを結合した陳列・展覧構造は、総合的古代芸術博物館の位置づけを体現している。いかにして故宮の特徴に基づく優れた展示を行うか？　呉仲超先生は、紫禁城の中軸線上にある三大殿・後三宮および西六宮は、宮廷史跡として原状陳列を行うことが極めてふさわしいと考えた。それではすべての宮殿建築群が原状のまま陳列されるべきか否か。彼は単一の陳列構造では単調すぎ、効果的ではないと指摘した。このため、内西路には歴代芸術館を、内東路および奉先殿には青銅などの専門館陳列を、外東路には絵画館と珍宝館を設けた。この陳列・展覧構造は国内外の専門家や学者、そして広範な観覧者の好評を得て、こうした展示陳列理念と構造は今に至るまで継承されている。

　呉仲超先生は一貫して知識を尊重し、人材を尊重する理念をもち、各種の障害を排除し、多くの知識人や優れた職人を故宮博物院に集めた。こうした「相反するものでも広く受け入れ、広く優れた人材を募る」という人材活用方針は、故宮博物院の学術思想の多元的構造をつくりあげる一方で、形式にこだわらず人材を活用する人材活用の伝統をつくりあげていった。呉仲超先生は周恩来総理の知識人問題に関する重大な指示を徹底的に実施して、多くの知識人を招聘し、適材を選んで適所に用い、人材を育成し、人をつくりあげるという理念を堅持して、専門学者を抜擢し、業務の中核を担う人材を育成し、専門人材を呼び寄せた。

　五〇年代、唐蘭が学術委員会、陳万里が陶磁研究室、単士元が建築研究室を委ねられ、学術研究の基礎が築かれた。楊伯達が陳列部、李鴻慶が保管部の副主任となり、鄭珉中、崔玉堂、紀中鋭、魏松卿、黄天秀、馮先銘が専門組長となり、王以坤、顧鉄符、劉九庵、徐邦達、孫瀛《えい》洲、羅福頤、耿宝昌、喬友声、王文昶《ちょう》らが文化財鑑定専門家として補充された。彼らは芸術理論、文献資料、収蔵文化財、宮廷文化を結合、あるいは以前の研究を深化させ、あるいは新たな研究分野を切り開き、また新たな研究方法をつくり出して、故宮博物院の全国および世界における学術的地位と影響力を高めた。

呉仲超先生は、故宮博物院の実際業務に基づき、専門家を尊重し重用すると同時に、文化財修復技術の人材招致と育成にずっと努力していた。五〇年代、彼は全国各地から続々と文化財修復の著名人や達人を呼び寄せ、故宮博物院文化財修復チームの技術力を充実させた。上海からは鄭竹友、金仲魚などの書画臨模（臨書ともいう。模写のこと）の人材が、蘇州・杭州などからは楊文彬、張耀選、孫承枝などの表装の達人が、北京・天津・河北一帯からは古徳旺、趙振茂、金禹民らの青銅器修復専門家が次々と故宮博物院に集められた。こうした貴重な伝統的な手工技術を残し伝承していくため、呉仲超先生は分野や種類ごとの特徴に基づいて人材育成の規則を制定し、文化財修復の分野において、「師から弟子への伝承」という保護・生産モデルをしだいに形づくっていった。今日の故宮博物院が全国でも文化財修復技術の分野においてはるかに先行しているのは、呉仲超先生の人材戦略のおかげであるといえる。

三十年もの間、呉仲超先生が知識人と技術人材を保護し、大切に扱ったことは、誰もが口を揃えて褒め称える。「専門家の保護は希少動物であるパンダの保護と同じであるべきだ」と彼はユーモラスに喩えたものだ。また、「故宮というこの巨大な博物院で何人『秀才』を育成したとしても問題ない」とも指摘している。呉仲超先生は専門家を国宝のように扱い、誠実な遠見と大きな度量で人材を遇し、故宮博物院のために多くの文化財の研究・鑑定・修復、そして古建築保護などの分野の専門学者や技術者を集め、故宮博物院に専門家が集まり、人材を輩出するという状況をつくりあげたことは、われわれが永遠に感謝せねばならないことだろう。呉仲超先生は故宮博物院に燃え上がるような責任感をもっていた。彼が故宮にいた三十年間、毎年新しい職員が故宮博物院に入って来るたびに入職式を行った。バスで新職員を神武門の外まで連れて来て、神武門広場の中で隊列をつくり、呉仲超先生は新たにやって来た職員一人ひとりと握手し、その後、神武門広場で歓迎式を行うのだ。彼は国務院の特別承認文書を読み上げると、赤い判の押された文書をみんなの方に向けて見せた。その時、故宮博物院で仕事することは一種の栄誉であり、栄誉には必然的に責任が伴うものであることを誰もが感じた。

故宮博物院の四代目院長は張忠培《ちょうちゅうばい》先生である。張忠培院長の管理理念や方法を振り返ると、その策略や広大な計画からは得るものが非常に多く、私は大いに感服する。「故宮博物院のような特色のある博物院をどのように運営するか」「紫禁城の建築物とその文化財をどのようにしっかりと保護するか」「故宮博物院という機関をどのようにしっかり運営していくか」「故宮博物院の長期的発展のための方法をどうやって講じるのか」などの故宮博物院の院長なら必ず直面しなければならない一連の問題について、彼は実際の行動により完璧な答を出し、われわれに完全な紫禁城を引き渡そうと、たゆまぬ努力をした。

故宮博物院のような特色のある博物院をどのように運営するのか？　これは、故宮博物院院長が必ず直面する核心的課題だ。張忠培先生は院長の職についた後、この課題について深く考え、宮廷の歴史・宮殿建築・古代（訳注：十九世紀中葉以前を指す）芸術が故宮博物院の特色を構成する三つの重要な要素であることを明確にし、故宮博物院の発展方向を明確にした。

一九八七年には早くも張忠培先生は故宮博物院の強みは「故宮」という二文字にあることを明確に指摘しており、この強みは歴史的に形成され、客観的に存在するもので、人の意志で動かすことのできるものではないと考えた。このため、故宮博物院の主要な任務は二つあり、一つは「保護」で、故宮を全体として、安全・妥当に保存することで、これはすべての業務の前提となる。もう一つは「特色」で、故宮の強みを利用し、故宮としての特色を出すということだ。彼は「保護」「特色」というこの簡潔な言葉で、故宮博物院の管理における二つの核心的な問題を総括したのである。

紫禁城建築とその文化財をどうやってしっかりと保護するのか？　これは故宮博物院院長が必ず担わなければならない中心的な任務である。在職期間中、彼は一貫して自分の職務に忠実で、古建築の保護と文化財の安全が故宮博物院の生命であり、古建築と文化財を完全に守ることが故宮博物院の使命であるとみなしていた。こうした理念により、彼は完全に紫禁城とその文化財を保護するシステムの原則を制定し、文化財保護に全力を尽くした。まず、観覧者の流れを制限し、観覧ルートをつくるなどにより、一般開放による破壊という問題の解決に尽力した。二つ目は、故宮の保護範囲を再度確定し、「紫禁城の東西北の三面の堀とその外沿より内側、そして南側と東西両側の堀およびその外沿より内側」を新たに繰り入れた。三つ目は抗戦期間中に南京に残した文化財についての交渉を積極的に行った。四つ目は収蔵品の目録の作成計画をたてることである。張忠培先生は長年考古学資料の発掘や整理・研究にたずさわってきて、「学術研究の材料は公共のもの」という理念をもち、故宮博物院の文化財管理にそれを応用したことは、非常に遠見に富んだ行為だったといえる。現在の故宮博物院の収蔵品大系の編纂と収蔵品目録の公表はこの理念に基づいている。

張忠培先生を訪問する（二〇一四年一月二九日）

故宮博物院という機関をどのように運営していくか？　これは故宮博物院院長が必ず深く考えなければならない重要な問題だ。在職期間中、彼は一貫して解放的な考え方を堅持し、勇敢な革新的精神で管理システム改革を行い、率先して院長責任制の実施を提起し、全院で職務責任制を遂行し、故宮博物院の合理的・規範的管理を推進した。

故宮博物院の長期的発展のための策略をどのように講じるのか？　これは故宮博物院院長がもつべき重要な視野だといえる。彼は一貫して故宮博物院の強化という信念のもとで人材育成と学術研究を重んじ、合理的な計画を強調した。彼は人材・知識構造の整理から着手し、計画的に多くの高等教育を受けた専門人材を引き入れた。一九八八年を例にとると、故宮博物院は合計八人の院生と四人の学部生を採用し、この時の職員の多くが北京大学、吉林大学、中国人民大学、中国社会科学院、中央美術学院などの大学や科学研究機関出身で、その専攻は主に歴史・考古学・美術史関連だった。長年の育成と成長により、現在これらの職員の多数が中国文化財管理・博物館分野で著名な学者あるいは文化財関連の指導者になっている。彼は学術機関の整備を手始めに、専門技術職務任命制を実施し、同時に多くの画期的な仕事を行った。例えば、故宮博物院学術委員会を設立し、文化博物館系統の正・副高級専門職務の資格取得審査を行った。また、研究室の職能改革を推進し、科学研究と科学研究管理、学術委員会事務機関の三つの職能を一つにまとめた。そして、宮廷史研究を強化し、国際学術会議を開催し、業務と学術研究と文化交流の連携を強化した。彼は中・長期計画の作成から着手し、院の運営方針と原則と目標を確立し、各部署の具体計画と院の全体計画の協調を重視した。「故宮博物院七カ年発展計画（一九八九～一九九五）は、全国重要文化遺産および世界文化遺産の保護・発展という観点から、故宮博物院の各主要業務の進行計画をたてたものである。

長期的な故宮博物院の発展方向を考える中で、そして、全国の文化財保護の業務実践に注目する中で、張忠培先生はさらに「完全な故宮、安全な故宮、歴史的な故宮、学術的な故宮」という概念を打ち出し、故宮博物院の目指す方向を指し示した。

「万世を謀らない者は、一時を謀るに足らず、全局を謀らない者は、一域を謀るに足らず」。張忠培先生は考古学者の科学的な態度と謹厳なやり方で、故宮博物院の全局的な発展を考えた計画をつくり、故宮の各事業の発展の堅実な基礎を築いたのだ。

私の前任の院長である故宮博物院の第五代院長は鄭欣淼《ていきんびょう》先生であった。

故宮の保護をより確かなものとするため、二〇〇一年十一月十九日、国務院は「故宮の古建築修復の研究と文物保護に関する問題について」という会議を開き、「故宮の全体修理」を決定し、これは故宮の古建築の完全な保護の新たな契機となった。こうした背景のもと、鄭欣淼先生は二〇〇二年十月に文化部副部長兼故宮博物院長に任命され、全面的に故宮博物院に関する責任を担うことになった。

鄭欣淼先生は故宮の価値と故宮博物院がもつ内容をどのように認識するかについての研究と解明を行った。二〇〇三年三月、上海博物館で行われた国際博物館館長ハイレベルフォーラムの席上で、鄭欣淼先生は「故宮の価値と故宮博物院がもつ内容」と題する講演を行い、文化財理念の向上、古建築価値の判断、宮廷文化の発掘、そして無形文化遺産の伝承という四つの方面から故宮博物院のここ八十年の歴史的経験を整理・総括し、これを基礎に故宮博物院の位置づけを明確にした。それは、故宮博物院は中国最大の文化芸術博物館であるだけでなく、世界でも数少ない芸術博物館・建築博物館・歴史博物館・宮廷文化博物館などの特色を兼ね備え、さらには国際的に公認されている「現地保存」「原状陳列」という基本原則に合致する博物院・文化遺産であるというものだ。この位置づけは故宮博物院の発展の方向を確定し、重点を計画する基礎となった。

この後も鄭欣淼先生は、故宮の価値と故宮博物院の内包についての思考・検討を続けてきた。

二〇〇八年四月二十四日、『光明日報』に「故宮の価値と地位」という文章が掲載された。これは鄭先生が故宮博物院を五年間取り仕切ってきた経験をもとに、故宮の価値と故宮博物院がもつ内容について下した理論的総括であった。彼はその中で、「皇宮としての故宮」「博物院としての故宮」「世界文化遺産としての故宮」「故宮学からみた故宮」という四つの角度を示して故宮の価値認識を四段階で整理し、そこからさらに「皇室コレクションである国宝の意義」「故宮博物院の国家的象徴」「文化財の南方への避難という民族的記憶」「一宮両院という人文的構造」などの方面から、故宮の文化財の歴史的価値と文化的意義を述べ、最後に文化全体から故宮の建築群、収蔵文化財、宮廷の歴史的遺物を見るべきだと指摘した。こうした思考と総括によって、故宮の価値の全体像を捉えることができるだけでなく、故宮博物院と台北故宮博物院が交流・協力を行う際のきずなともなり、さらには海外に散逸した清の宮廷コレクションの学術的な帰着地を探し当てることにもなった。

十年もの間、修理工事の実施は、故宮博物院の事業発展の最重要課題であり続けた。修理工事を順調に行うため、故宮博物院は度重なる困難を克服し、絶えず実践を模索し、最後に誇るべき成績をおさめた。このことは、中国ないしは世界の文化遺産保護の分野において深遠な影響を生み出した。

古建築の修理工事と同時に、鄭欣淼先生は収蔵物の大規模な整理の必要性を痛感していた。なぜなら、収蔵品は博物館の存在理由であり、業務活動を行う基礎であり、収蔵品の質の高低と数量が

張忠培先生と鄭欣淼先生と共に（二〇一六年十月八日）

博物館の地位とその役割をはかる主な条件だからである。収蔵品の種類と数量をはっきりさせることではじめて効果的に保護することができ、深い研究が行えるわけであり、これは博物館事業の発展の主な基礎であり、故宮博物院が世界一流の博物館に仲間入りするうえで必ず行わなくてはならない重要な任務であった。このため、彼は倉庫に分け入り、書類を調べ、九千字余りの「故宮博物院収蔵文化財の徹底整理に関する研究報告」を作成した。この報告書は、一九二四年の清室善後委員会による清宮殿収蔵品調査以来、四回行われた収蔵品大整理を系統的に整理して、収蔵品の徹底整理を行ううえで必要な条件を客観的に分析し、収蔵品大整理に必要な九項目の業務を計画したものだ。そのうえで、収蔵品の整理作業と文化財管理レベル向上を結びつけた四つの要求を提出している。

二〇〇四年十月、故宮博物院は「故宮博物院二〇〇四〜二〇一〇年収蔵品整理作業計画」を編成し、院の収蔵品および倉庫・宮殿に全面的で徹底的な調査と整理を行う計画をたて、文化財整理の仕事内容をリストアップし、タイムテーブルを作成した。二〇一〇年末までに、故宮博物院は九十四万点余りの文化財の帳簿・カード・物品の三つを照合し、名称・ランク付け・計測および統計を完全なものとする作業を行った。帳簿に記載されている、あるいは帳簿にない文化財を整理し、登記・目録作りを行い、十八万百二十二点の資料を文化財へと格上げする作業を行った。これ以前に院が収蔵していた古書や善本、書籍、書籍版木はずっと図書館の保管方法にのっとって管理されており、文化財のランク付けも、文化財に関する規定にのっとった管理も行われていなかった。この時の文化財整理の過程で、図書館が管理していた十九の倉庫の計六十万三千六十一点余りの収蔵品に徹底的な整理が行われ、五十六万四千七百十三点の文化財、三万八千三百四十八点の資料が整理され、文化財に関する規定にのっとった目録への編入と入力作業が行われ、二十万冊近い古書・善本、特別収蔵品および収蔵する二十万あまりの貴重な書籍版木の整理・照合・ランク付け、目録作

鄭欣淼先生（前列左端）、張忠培先生（後列左端）と共に故宮の大高玄殿修復工事の開工式に出席した

成、登録の作業が行われた。

これは一九二五年に故宮博物院図書館が設立されて以来最も全面的で徹底した整理となった。

七年に及ぶ整理と確認を経て、故宮博物院の「財産整理」任務は完了した。統計によると、故宮博物院の貴重文化財は百六十八万四千四百九十点で、一般文化財は十一万五千四百九十一点、標本は七千五百七十七点、合計百八十万七千五百五十八点となっている。そのうち貴重文化財が全体の九三・二％を占め、全国の公的機関に収蔵されている貴重文化財全体の四一・九八％を占めている。七年の文化財整理は、故宮博物院がいかにして収蔵文化財の保管能力を強化し、いかにして収蔵文化財の利用レベルを高めるかという課題のための基礎作業となった。七年の整理はまた、故宮博物院がどのように文化遺産と向き合い、どのように故宮の価値を認識するかという理念の創造でもあった。

館舎の面積、収蔵品数、来院者数などからみると、故宮博物院はルーブル美術館、大英博物館、メトロポリタン美術館、クレムリン宮殿などの世界の著名な博物館と肩を並べている。しかし、国際的な影響力からみると、故宮は知っていても故宮博物院については知らない外国人が往々にして存在する。こうした状況を変えるため、鄭欣淼先生は故宮博物院を率いて大量の創造的な仕事を行った。まず、「文明対話」を架け橋として、世界の一流博物館との交流協力の道を開いていった。そして、「皇室文化」をテーマに、故宮の文化財展覧の質と内容を絶えず向上させた。世界の著名な博物館と戦略的協力協議を結んで、交換展示や人員の相互訪問、プロジェクト交流などを実施した。また、国家外交政策や文化戦略と連動して中国の文化・芸術を高め、中国のソフトパワーを強化させる役割を担った。そして収蔵文化財の特色と合致する展覧を行って、展覧の質・規模・影響力を絶えず向上させた。

歴史的な理由から、故宮の文化財は台湾と北京の二つの故宮博物院にそれぞれ保管されており、「一つの宮殿に二つの院」という構造が形づくられている。しかしこの二つの故宮博物院は共に、故宮の文化財の歴史文化的内容を掘り起こし、中国文化・芸術を広く知らしめるために絶えず努力しており、国際博物館界において盛名を誇っている。故宮博物院は二つあっても故宮に対する中華民族の文化的認識は一つであり、二つの故宮博物院が収蔵する文化財の根っこは一つのものであるという事実に基づいて、彼は在任中、台北故宮博物院との交流と協力に関する多くの仕事を推進し、際立った成果を得ている。

故宮博物院院長在任中の鄭欣淼先生のもう一つの創造的な仕事として、「故宮学」の提唱がある。彼は「故宮学」の理論的模索と実践を広めることに全力を尽くした。「理論に指導された実践でなければ盲目的な実践となり、応用不可能な理論もまた本当の理論ではない」という精神にのっとり、彼は故宮学の模索と構築を、純粋な理論だけに限らず、故宮の価値や故宮博物院のもつ内容の深い認識のうえにおいても打ち立てた。このため、鄭欣淼先生にとって、故宮学は単なる学科ではなく、一種の学問であり、さらには故宮の価値を認識する一つの理念であり、故宮の保護と博物院の発展を導く一種の方法でもあった。故宮学の学術理念の説明、故宮学の学科体系の構築、そして故宮学の理論的方法の総括過程で、鄭欣淼先生は多方面から積極的に故宮学の学術的土台の構築を推進した。故宮学術研究のための研究機関を設立し、『故宮学刊』を創刊して、故宮学普及のための基礎とし、書籍出版を重視して、さらにそれをレベルアップさせていった。大学と手を組んで学校経営を行い、故宮学人材の育成プラットフォームを設立した。

故宮博物院で仕事をした十年間、鄭欣淼先生はずっと歴史分析的態度を堅持し、故宮博物院の歴史的経験を弁別・考証し、故宮の価値と故宮博物院のもつ内容についての判断と故宮博物院の管理理念の転換を行った。故宮全体をひとつの文化として捉える基本認識に基づき、彼は故宮博物院の二つの発展の道を計画した。一つは故宮を完全に保護・管理するという理念に導かれた文化財保護および博物院管理の道、そしてもう一つは、故宮学の枠組み内で学術研究および学科体系の構築を推し進めるという道である。

総括すると、一院の長として、鄭欣淼先生は長期的に故宮の価値と故宮博物院がもつ内容に対する模索・解明を進め、故宮博物院の内部業務の内容と方向を明確にしたのみならず、故宮博物院事業のために視野と領域の開拓を行ったのだ。彼のこうした鋭敏な洞察力と優れた判断力は、今まで蓄積してきた業務経験のたまものであるだけでなく、彼がずっと維持してきた研究態度のたまものでもあった。現代中国の政府官僚の一人として、彼はずっと文化事業に携わり、豊富な経験を積んでいて、そのために故宮博物院の使命と機能についての正確な判断力をもちあわせていた。彼は現代中国の文化学者として著述活動を続け、文化政策、文化財保護および博物館研究方面で多くの研究成果を積み上げていた。成果の多くが、その仕事に対する理論的総括で、非常に高い理論と実践的価値をもっていたのである。

鄭欣淼先生が故宮博物院の院長であった十年間は、私がちょうど国家文物局の局長を務めていた十年間でもあった。鄭院長は当時しょっちゅう私に電話をかけて来て、文物局に属する組織がまだ故宮の中にある事務所を移転させていないと文句を言ったものだ。私は局長ではあったものの、この引っ越しは簡単なことではなく、それでもどうにかしようと努力していた。しかし、最後の組織が故宮から引っ越した翌年、私が故宮博物院の院長になるなどとは予想だにしていなかった。だから、私の体験はとても深く、具体的だ。誰かのために問題を解決したことが、最後には自分のためにもなるのだから、良いことはたくさんしたほうがいいと、私はいつもこれを例にして冗談を言っている。

歴代の故宮の院長以外にも、とっても素敵な「故宮人」がいる。

故宮博物院には、安全警備、来館者接待、収蔵品保管、業務研究、大衆教育、文化・クリエイティブ製品（博物館オリジナル製品）開発など各方面の人材が揃っていて、各分野の職員の支持と連携により博物館の正常で秩序だった運行と、来館者の快適な観覧やサービスを支えている。故宮博物院で働く人はみな「故宮人」としての自覚をもち、彼らは一般人に比べより安全に対する警戒心が強く、故宮に一種の強烈な責任感と使命感をもっており、さらに重要なのは、彼らはみな故宮博物院に深い愛着を抱いていることだ。

一九二五年の設立から現在まで、「故宮人」たちは戦乱の時代も、平和の盛世も経験している。戦乱の中であろうと平和の中であろうと、「故宮人」たちはみな、文化遺産の保護と研究、伝承に尽力してきた。

私は「故宮人」の一人として、毎日この生きた文化の城、歴史の城に影響され、代々伝えられ、時間とともに確固たるものとなっている故宮精神の薫陶を受け、自然にその雰囲気を帯びるようになり、いつ、どこにいても、無意識のうちに「故宮人」特有の気質を垣間見せるようになっている。これは私と多くの「故宮人」がみな深く感じている奇妙な体験であり、われわれの誇りであり、さらにいえば責任感や使命感の源となっている。

故宮博物院の貴重な文化財や古建築群、そして故宮という世界文化遺産をしっかりと守り、「故宮精神」を伝承・発揚することは、われわれ各世代の「故宮人」の職責であり、永遠の使命でもある。故宮はすでに六百年の歳月を歩んでいて、豊富な文化の至宝を蓄積している。保護のほかにも、われわれは人々が喜び楽しむ方法で伝統文化を展示・解読したいと思い、観覧者との相互作用を期待し、眠りについている文化財を「活かし」、多くの人々のために役立てたい。われわれは故宮博物院がもつ優れた文化資源をみんなと分かち合い、故宮博物院がもち、代表する優れた伝統文化を若者へ、未来へと残したい。鄭欣淼先生はかつて、「故宮人」の核心的価値理念、すなわち「故宮精神」を、「貴重な財産を保管・保護し、業務に勤しみ奉献する、奉仕の心を大切にし、開放・イノベーションに努め、発奮し調和する」という五つの方面に総括した。その中心にあるのが「国宝を命とする」という心だ。古い世代の「故宮人」の愛国心や職業倫理、苦難に立ち向かい、無私の貢献をするという優れた伝統を心に刻んで伝承し、一貫して故宮文化遺産の保護事業に対する強烈な責任感と使命感を保ち、優れた仕事のやり方で故宮博物院の事業が再び輝きを放つための堅い基礎を築き上げるよう、鄭先生は多くの「故宮人」に呼びかけた。一代一代の「故宮人」はこうした「故宮精神」を絶えず豊かにし、伝承し、故宮博物院を発展させていった。こうした多くの「故宮人」がいたからこそ、今日の故宮博物院があるといえる。

故宮博物院は中国五千年の文明を代表する所蔵品をもち、六百歳という高齢の紫禁城の宮殿は建院百周年を迎えた。この博物館の前では、われわれはまだ青二才に過ぎない。以前にわれわれの責任は故宮博物院の収蔵品、故宮の古建築群、故宮という世界文化遺産をしっかりと守り、その姿を昔のままに百世代後にまで残すことだと書いたが、これは代々の故宮博物院院長ないしは「故宮人」すべての職責であり、栄誉でもある。

「平安」から「ライトアップ」まで

――故宮博物院の次の六百年のために

二〇一八年の大火事でブラジル国立博物館の九〇％の文化財が焼失した。二〇一九年の火事により、世界文化遺産であるパリのノートルダム寺院が深刻な被害を受けた。これらはすべて人類文化の災難といえる。公共文化施設である博物館がするすべての仕事の中で、最も重要な前提は安全確保であり、来館者の安全だけでなく、文化財の安全も保証しなくてはならない。ブラジル国立博物館は現代建築であり、パリのノートルダム寺院はレンガ建築であるが、これらがすべて火災の被害にあうのだから、千二百棟の木造古建築からなる故宮博物院の防火の重要性は言わずと知れたことであり、世界のいかなる博物館とも比べものにならないといえる。一九八七年、景陽宮に雷が落ち、一部の建築が焼け落ちたことは永遠の痛みとなった。

防火以外にも、極めて緊迫した安全上の試練が盗難である。故宮は今までに六回盗難にあっている。

一番最近のものは二〇一一年で、故宮に忍び込み、一部の展示品を盗んだ者がいて、大きな社会的反響を呼んだ。そしてまた、その泥棒のために私が「門番」となったのだ。私がこの職についたとき、すでに五十八歳になっており、規定によればあと二年で定年であったのに、この職についてから七年と三カ月も続けることになるとは当時思いもよらなかった。

私は着任後、故宮にいったいどんなリスクが潜んでいるのかを分析した。私は五カ月かけてしらみつぶしに安全検査を行い、故宮の九千三百七十一間の古建築と現代的倉庫、仮設建築を歩き回り、部屋一つひとつの安全上のリスクを探して記入と写真撮影を行い、「平安故宮」工事計画を編纂した。

そこには火災リスク、盗難リスク、不完全な防震設備、文化財の腐食などのリスク、倉庫に存在するリスク、インフラ設備のリスク、観覧者が踏みつけることによるリスクという調査によって判明した七項目の安全上のリスクを詳細に記録した。この七項目のリスクは客観的に存在するもので、国務院に報告された後、すぐに許可がおり、八年間にわたる「平安故宮」工事が始められた。

まず、強力な新しい安全防御システムが打ち立てられ、五つの管理室が建設されて、内部には六十五面の大スクリーンが並び、三千三百台もの高画質ネットワークカメラとつなげられた。もし、現代的な博物館を建設するなら、管理室は一つで数百のネットワークカメラがあれば済むかもしれないが、故宮はこれだけ広大な面積と複雑な地形や配置をもつため、より強力な安全防御システムを必要としているのだ。われわれは故宮の世界文化遺産のモニタリングを強化し、動く物も、動かない物も、物質も、非物質も、移動できる物も、移動できない物も、二十四時間体制でモニタリングし、さらに展示台や展示ケースの下に防振設備をつくり、耐震を強化した。

特にわれわれはあらゆる文化財を袋や箱に入れたうえで集密書架に入れ、それらをより適切に保護した。同時に消火栓の位置と数を合理的に配置し、必要とされる避雷設備を設置した。開けた場所に雷は落ちやすいため、避雷設備のレベルを常に引き上げる必要があり、日常的なモニタリング頻度を増やした。消防設備もまた必要であり、われわれは先進的な大型消防設備を研究開発し、多くの小さな路地や小型庭園には大型の消防設備では入ることができないため、専用小型消防設備も研究開発した。若い職員が代々ボランティア消防団員を務め、頻繁に集中訓練を行い、消防意識を高めるため、全職員の消防運動会参加を義務づけ、消防技能訓練を行った。

同時に、毎年われわれは大型消防訓練も行った。「実戦訓練」では、火災が発生した際に、どうやって「負傷者」や「文化財」を素早く救助するかの演習を行った。消防士の訓練以外にも、ロボットの訓練を行う必要があり、正確に炎の中へ突入し、燃え盛る火を消せるようにした。こうした

消防訓練（二〇一六年十月十日）

訓練により、われわれは常に戦闘準備態勢を維持できるようになった。しかしさらに重要なこととは、予防的保護を行うことだ。われわれは故宮博物院をゴミ一つないような状態に保ち、あらゆる安全上のリスクをしらみつぶしに排除しなくてはならない。そのためにわれわれは三年をかけた環境整備をスタートさせた。故宮博物院の職員は三年にわたる苦しい努力を経て、室内の十項目の内容、屋外の十二項目の内容に対し、整備を行った。

室内

① 登記が済んでいない各部屋に散在する文化財を整理する。目録につけにくい、種別を確定しにくいものが、各部屋に長い間山積みになっていて、倉庫にしまわれていなかったため、こうした文化財を整理した。

② 散在する古建築部材を整理する。一部の漢白玉（白い大理石）部材は風化が著しく、カーテン留めの重しはすでに腐食し、銅製の門釘（建物の扉につけられている化粧釘）や鉄製の門の閂《かんぬき》がごっちゃに置かれていて、保護されていないばかりか室内の多くのスペースを占領していた。こうした部材は整理し、包装して保管すべきで、そうすれば今後も続けて利用することができる。

③ 門扉や窓の整理。以前に取り外されたたくさんの門扉や窓が

通路や室内に放置されていて、それらを文化財として取り扱っていなかったが、これらも実際には古建築のとても重要な一部であり、そのためにわれわれは古建築館を建て、修理して展示することにした。

④箱の整理。二百余りの部屋すべてに大きな箱が置かれていて、実際にはこうした箱の中には何も入っておらず、これらは八〇年代、九〇年代の二回にわたり地下倉庫がつくられた際に、箱の中に入っていた九十七万点の文化財を取り出して地下倉庫にしまい、もとの箱は各室内に放置しておいたためであり、これらはクスノキ、紫檀、皮などでつくられていて、それ自体がとても優れた文化財で、歴史情報をもつものであり、しっかり保存しておくべきものだ。われわれは三つの大型倉庫にこうした箱を保存し、二百棟余りの古建築の空きスペースをつくった。

⑤刺繍倉庫を設立した。炕（オンドル）や地面に積み上げられていた敷布団、掛け布団やじゅうたん、フェルト、カーテンなどは、すべてかつて人々が使っていたものであり、ずっとそこに積まれたままになっていた。菌をつけたまま収蔵することはできないため、数十の室内にあった刺繍製品に燻蒸を行い、大型の刺繍倉庫を建てて保管して、多くのスペースを空けた。

⑥展示ケースなどの展示設備の整理。展示が終わった後の展示ケースや展示用具などが空き部屋に積みあげられ、忘れ去られており、こうした展示用具は古くてもはや使うことができなくなっているにもかかわらず多くのスペースを占領していたため、整理して多くの部屋を空けた。

⑦雑物の整理。「すり減った箒でも自分にとっては大切なもの」と言われるが、ひと昔前まで事務員が使っていて、今はもう使われなくなった腰かけや椅子、テーブル、ソファ、運動器具などが多くの空間を占領していた。しかしこれらは国有資産であり、適当に処分することもできない。そのため、こうした物を英華殿北側の庭に集め、各部門で使いたいものがあったら登記のうえで引き取ってもらうことにした。しかし、結局引き取り手は現れず、処分手続きをし、多くの部屋を空け

た。

⑧長年人が足を踏み入れていない部屋を整理した。これらの部屋の床には厚く土埃がつもり、極めて深刻な安全上のリスクがあった。同時に古建築の保護、特に床の保護の大きな問題となっていた。現在、われわれはあらゆる部屋をきれいに掃除し、逐次開放するか、合理的に利用するかしている。

⑨移動不可能な家具を整理した。こうした家具と古建築は一体となっていて、数が一番多いのは寝具、つまりかつて人々が寝ていた炕（オンドル）であり、長年そこに放置されていたため、すでに壊れたり、寝具の上に物がのっていたり、さらには寝具の上にかつての敷物や布団が敷かれたままのものもあったが、保護はされていなかった。われわれは現在、こうした建築と一体となっている家具を修復し、出来る限り昔の姿のままに陳列している。

⑩掛屏（額縁に入った書画）や貼落（芸術性のある一種の壁紙）を整理した。多くの部屋の壁には書道や絵画作品が残されており、貴重な歴史的・芸術的価値があるが、原状保持のため、あえてはずして保管することはなかった。実際には、これらの書画作品は寿命が比較的短く、現場での長期保存はふさわしくない。そのため、われわれは文化財である書画を取り外し、修復・保護を行い、精巧な複製品を長期的に陳列することにした。

三年にわたる大整理により、数千あった部屋のすべてがきれいになり、故宮の開放地域が八〇%にまで達する基礎となった。

室内整理に比べると、室外整理はさらに大変で、われわれは十二項目の整理を行った。

屋外

①火災を引き起こす可能性のある物を取り除く。非開放地域にたまっていた木の枝や葉、雑物な

どは極めて危険な火災の発生源であり、全員参加の大清掃によりすべてきれいに取り除いた。

②地面に生えた雑草を処理した。故宮の古くからの職員はとても経験豊富で、雑草のところに行く前に大きな声をかけ、まず小動物を逃してから雑草の前へと進んでいった。このようにして膝丈まで生い茂る雑草を除去した。

③石彫部材を整理した。今までは古建築を修理した後、石彫部材を庭に積み上げておいたが、月日が経つと、数十の庭にはすべて部材が積まれるようになっていた。われわれはこうした部材を整理し、東華門の下に石彫部材保護展示ゾーンをつくり、それらを展示して観覧可能にし、専門家が研究できるようにした。

④室外の雑物を整理した。軒下や通路内には、かなり前からずっと置きっぱなしになっていた雑物があった。われわれはこれらを一掃した。慈寧宮花園東側の広場には大量の雑物が放置されていたが、今ではその空き地で、春には牡丹の展示、秋には菊の展示が行われ、来院者に喜ばれている。

⑤屋根に生えた雑草を取り除いた。古建築の屋根にはたくさん雑草が生えており、こうした雑草は生きるために根を瓦の内部に張って、瓦を持ち上げるため、雨水がそこから染み込み、屋根の骨組みを朽ちさせてしまう。われわれはこれらの雑草に宣戦する決心をし、二年をかけて雑草を取り除いた。今では故宮の城壁も開放されたため、城壁の上から見ると、紫禁城の千二百棟の建築の上にはいかなる雑草も生えていないことが見て取れる。

⑥むき出しの電線をなくす。多くの火災は電線や電器器具の漏電が原因で引き起こされる。今まで、電線や電器器具の取り付けが不適切なことが深刻な問題となっており、ここで集中的な整備を行った。

⑦配管・ケーブル類の整備。明清代には紫禁城には当然配管やケーブル類はなく、そうした経路

もなかった。今日、現代的な博物館として電気や上下水道、通信設備、暖房用温水、そして大量の消防・安全警備システムなどの各種の電線・配管があり、時の経過とともにこうしたものが塀や古建築を越えて張り巡らされ、内金水河（護城河ともいう。紫禁城をぐるりと囲む幅五十二メートルの堀）には数百本の配管やケーブルが堀の両側をまたいでいて、温水パイプが古建築の通路を占拠するような極めて遺憾な状態となっていて、古建築の壁の下を掘ってそれを埋めることもできず、空中に吊るすこともできないでいた。この昔からの大問題を解決するため、われわれは二年半をかけ、何度も設計と論証を繰り返し、最後には許可を得ることができた。われわれはシールド工法をとり、宮殿の壁の外、古建築から離れた文化遺構を避けた地下八～十四メートルのところに、断面が千メートルにも及ぶ二つの配管・ケーブル用の溝を掘り、これらをすべて地中に埋めて、故宮内部の地面を掘り起こしたり、古建築を通り抜けさせたりする必要をなくした。数年もの間、故宮博物院は、日中はずっと通常開放していたため、夜間に工事が行われた。外へ土を運び出し、内部へ材料を運び込んで、毎日早朝にはそこをきれいに整えて来院者を迎え入れたのだ。

院内環境の視察（二〇一七年五月二十九日）

院内環境の視察（二〇一四年十二月三十日）

⑧ 広場の地面を改良した。明清代の紫禁城内には完全な排水システムがあり、このため長期的に「故宮には水がたまらない」ということが誇らしい話題となっていた。しかし、過去に一部の広場の地面がコンクリートで舗装され、排水設計をしっかり行わなかったため、雨が降ると水たまりができるようになった。さらに広場にパイプ・電線・ケーブル用の溝を掘った後にコンクリート舗装をし直したため、地面につぎをしたみたいにでこぼこができた。この問題に対応するため、われわれは排水をよくし、レンガや石など伝統的な建材を使って地面を平らにした。北京でどんなに大雨が降ろうとも、紫禁城内には水たまりはできないと誇らしげに言うことができるようになったのだ。

⑨ 保護措置を改善した。一部の開放地域の保護設備はあまりしっかりとしたものではなく、例えば御花園では、盆栽や石彫を銅や鉄の欄干で囲うだけで、地面は裸のままだったため、風が吹くと土埃が舞い上がった。そこでこれらの銅や鉄の欄干をやめ、地面を緑地にして植物で覆ったため、盆栽や石彫が保護されるのみならず、御花園全体の景観も改善された。

⑩ 施工環境を改善した。従来は施工業者が工事を行うときには、鉄板で周りを囲い、周囲の環境との調和についてまったく考慮することはなかった。そこで、故宮博物院は工事用フェンスを統一設計した。例えば、地面を修復するときには透けて見えるフェンスを使い、施工状況を知ってもらえるようにし、同時に来院者に現在どのような技術や道具を使って修復工事をしているのかを見せて、文化財保護知識を広めようとしている。

⑪ 「商業施設」の撤去。長期的に、来院者は故宮の中軸線地域に集中していたため、太和門、乾清門、隆宗門、景運門などの門内部の通路には商業施設が設けられていて、壮麗な古建築群の鑑賞に著しいマイナス影響を与えていた。乾清門にやって来たとき、自動解説機が「ここは清代の皇帝が毎朝やって来た場所だ」と解説しているのに、西を向いてみると故宮の売店が見え、東側を見て

も故宮の売店が見え、こんな状況で歴史的感慨に浸るのは難しい。そのため、われわれは歴史的な姿を回復させる整備を行った。さらに、隆宗門にはレストランがあって、冬は寒く、夏は暑く、スモッグ続きの時にはさらに非衛生的であった。このためわれわれは整備を行い、隆宗門を開放した。そして御花園にたどりつく頃には人々は疲れ、喉も乾いているので、売店でハンバーガーやソーセージ、ポップコーンなどの食品を買い、その場で飲食したので、昼時の御花園はまるで大衆食堂のように空気中にソーセージやポップコーンの匂いが漂い、古典庭園の優雅さを味わうにはほど遠い状況だった。このため、われわれは食品を売る店をすべて御花園地区から取り払って、古典庭園のかつての文化的ムードを再現した。

⑫ 仮設建築を撤去した。故宮博物院の内部には数十年にわたって建設された百三十五棟もの仮設建築があり、中でも最も危険なものは五十九カ所のプレハブ小屋であった。この種の建築は二週間もあれば建てられるが、この素材は燃焼を阻まず、ひとたび火が付くとたちまち燃え上がってしまう。この五十九カ所のプレハブ小屋を古建築群内に残しておくのはとても危険であるため、まずこれらに「宣戦」することとなった。私と公安部消防局のトップが、まず午門の雁翅楼の下にある宣伝教育部のプレハブ小屋を取り壊したが、故宮博物院の各部門のトップがみな「観戦」しにやって来た。これをやったのは、各部門がほとんどみな取り壊す必要のある仮設建築をもっていたからで、これは彼らに戻ったらすぐに物を片付け、早く撤去するようにというメッセージとなった。

資料情報部ではすでに八年間使用していたプレハブ小屋の事務室を撤去し、総務部では六百人がご飯を食べていたプレハブ大食堂と十三列のプレハブ執務区を取り壊し、古建築部のプレハブ倉庫、宮廷部のプレハブ倉庫もまたすべて取り壊された。西側の地域では、監査室、インフラ事務室、予算部の三つの部門の事務室として使われていたプレハブ小屋がすべて取り壊された。二〇一六年の創立記念日にはみんなで力を合わせ、南側の三カ所にあった最後のプレハブ小屋を取り壊した。

取り壊しが必要とされる仮設建築はもっとあった。例えば、今まで車庫を建てるときには、こちら側には赤い壁の上に、あちら側では古建築の上にと建てていたため、整備が必要であった。さらに、今まで故宮博物院内部には職員のためのシャワー室があり、職員が古建築の修理や保護の作業を終えた後、シャワーを浴びて、さっぱりしてから家に戻っていた。シャワー室は古建築の傍らに設けられていて、とても危険であったので、われわれは全職員に家でシャワーを浴びるように呼びかけ、シャワー室を取り壊した。南三所はかつて皇子たちが生活していた場所で、九組の住宅が整然と建ち並び、緑の瑠璃瓦がとても美しかったが、ここはずっと七棟の温室に取り囲まれていて、数十年もの間、職員は南三所がどのような場所かを見ることすらできなかった。このため、故宮博物院は海淀区の西北旺鎮に故宮古典花卉栽培センターを建設し、大きな温室を造り、花卉をここで集中的に栽培した。初春には花卉が故宮の各庭園に送られ、秋も深まると、それらは花卉栽培センターに戻された。このようにしてから温室を取り壊したため、ようやく南三所の景観を見ることができるようになった。

最も苦労したのは、三カ所の最も乱雑な場所の整備だった。この三カ所とは、西河沿区域、南大庫区域、内務府区域で、故宮の中にどうしてこんな乱雑な場所があるのかというと、おもに清末以後、中華人民共和国成立以前に、故宮の古建築が修理も管理もされずに放っておかれたからで、一部の地域では古建築が壊れた後も修復されずに空き地となり、後に物や資材などが置かれ、きちんと利用されず、安全上のリスクとなったのである。

① 西河沿区域。内金水河西側の数百メートルの地帯で、数十年の間、木材が積まれ、木材加工と貯蔵の場所であった。われわれは三年をかけて整備を進め、古建築の景観が復活し、さらには現代的な故宮文物病院も建設された。

② 南大庫区域。今までこの区域は建築資材置き場であり、材料加工が行われる地域でもあり、乱

雑な環境にあった。特に午門の雁翅楼展示地域が開放された後には、南大庫区域が故宮の景観に深刻な影響を与えるようになった。このため、南大庫区域の資材倉庫と武装警察食堂と国家文物局文物交流センターの倉庫を移動させ、古建築に修理・保護、そして再建を行って、歴史的景観を再現した。今では南大庫区域は来院者に人気のある故宮博物院家具館となっている。

③ 内務府区域。この区域は規模が大きく、地下には八〇年代と九〇年代に建てられた倉庫があり、地上の古建築はかなり昔になくなっていて、長い間に大量の施工部署の仮設建築が建てられたり、工事車両が停められたり、足場を組むための木材や鉄パイプが積まれたりしていた。整備を行った後には、地下の文化財倉庫が拡張され、地上には歴史的景観が再現された。

こうして故宮博物院の職員全体の努力のもとで、三年にわたる苦しい環境整備が進められ、故宮の姿は内から外に至るまで、全面的に改められたのである。

われわれはとうとう、七年前に故宮博物院が社会に対し行った「壮大で美しい紫禁城を完全なまま次の六百年に引き渡す」という約束を実現したのだ。紫禁城は一四二〇年に明の永楽帝によって建設され、二〇二〇年で六百歳の誕生日を迎えた。われわれは人々が再び故宮博物院に足を踏み入れた時に目にするのが壮麗な古代建築だけであり、安全や環境に影響を与える現代建築は一つもないことを願っている。しかし、故宮博物院を観覧しにやって来たとき、自分の足元や周囲の環境のほうが気になると思われるので、環境を整備するだけでなく、環境の改善にも努める必要がある。

故宮博物院は二年半をかけて全体環境を改善させた。どうして二年半もかかったのか？　例えばマンホールを例にとろう。広場や通路には高さもまちまちなマンホールがたくさんあり、人々は観覧の際に足もとに注意を向けねばならず、特に障害をもつ人たちの車いす、ベビーカーなどにとってとても危険であった。マンホールを平らにするのは簡単であるように思われたが、やってみないとその難しさは分からない。こうしたマンホールを平らにするために、まず統計をとって、その後上申して、関係部門の許可を得て、ようやく千七百五十個のマンホールをすべて平らな「故宮マンホール」に取り替えることができた。今まで、故宮内部の道路の両側の緑地は鉄の欄干あるいは生け垣で囲って保護していたが、実際にはこの方法は手入れに不便で、緑地の状況はあまり良くなかった。のべ千メートルにものぼる鉄柵をすべて取り払ったら、緑地はきちんと手入れできるようになった。同時に近年、故宮内の三百本の電灯を三百個の灯籠に変えたため、昼間の景観が良くなったばかりか、夜間には照明にもなった。

全体環境を改善させるため、故宮博物院は非常な苦労をはらった。マンホールを平らにするのも、緑地の手入れも、照明の改善も、個々にみれば簡単なことといえるが、故宮というこの広大な空間の中では決して簡単なことではなくなり、大きな気力と、根気と粘り強さが必要とされた。

優れた環境は日常的に維持されなくてはならない。今まで、開放地域にはいつも水のペットボトルやアイスクリームの棒、紙ナプキン、入場チケットの半券などのゴミがちらばっていて、最初われわれは毎日故宮を歩きながら、しょっちゅう腰をかがめてゴミを拾い、神武門から午門まで歩くと十数回、数十回となく腰をかがめなくてはならなかった。そのため、故宮博物院は新たに清掃請負業者の募集文書をつくり、そこにはっきりと「管理会社の職員はゴミが落ちた二分以内に清掃するという責任を負う」と規定した。このような過酷な条件でも募集に応じた企業があり、請け負ったのは中航大北物業だった。実施してみると、最もその恩恵を受けたのは、請負会社の清掃員であった。なぜなら彼らが地面をゴミひとつないようきれいに清掃すると、無情にゴミを捨てる人がいなくなったからだ。一つもゴミがないと、誰も最初のゴミを捨てることがなくなり、彼らの仕事が大いに減って、故宮博物院もまた全体をきれいに保つという目標を実現できたのだ。実際に環境は人に影響を与えることができ、清潔に整えられた環境に入ったとき、すべての人に故宮の古建築を大切にするという自覚が芽生え、ここにある草一本、木一本でさえ大切にしようと思わせ、壁に落

昼間は景観で、夜には照明となる

平らになった故宮のマンホールの蓋

書きをする人、古典庭園の築山によじ登る人がいなくなった。

とにもかくにも、われわれのたゆまぬ努力により、人々が再び故宮博物院にやって来たとき、緑地と青い空、赤い壁、黄色い屋根瓦という美しい光景を目にすることになるだろう。現在は青い空が時に実現できないこと以外は、すべて実現できている。近年、北京でも青空を目にすることが日に日に多くなり、輝かしい太陽のもとで、赤い壁と黄色い屋根瓦をもつ紫禁城はことのほか美しく、魅力に満ちている。

しかし、故宮博物院にはさらに他の博物館とは異なるところがある。それは人々がある展示室から別の展示室にいくために屋外空間を通る必要があることで、室内と屋外が連続した素晴らしい観覧過程であるべきだ。このため、われわれは常に環境美化を進め、春なら牡丹、夏なら蓮の花、秋にはイチョウ、冬には蠟梅を見ることができるようにしたいと考えた。それはどこにいけば見れるのか？　故宮博物院は「花探し地図」をつくり、スマホを開けばどんな花がどこに咲いているかを知ることができるようにした。

室内照明においても、われわれは多くの収穫と理解を得た。以前の故宮は、大殿の中が真っ暗で、外が明るければさらに内部は暗く見えるため、照明で明るくできないのかという不満がよく聞かれた。こうした宮殿はすべて木造の古建築なので、電源を通すことができず、内部にある陳列物もすべて古いものなので、特に紙や刺繍された物などは長い間光で照らしておくことができないということを、長年辛抱強く辛抱強く説明していた。こうした説明に道理はあっても見る側にとっては確かに不便であり、いつも人々は大殿の柵を内側も外側も三重に取り巻いていて、老人や子どもたちは中へ中へと割り込もうとしていた。こうした状況を変えることは本当にできないのだろうか？　この古くからの大きな問題を解決するため、われわれは研究を行い、ＬＥＤ光源を用いることにした。この光源は発熱せず、一つひとつの電球が光るのではなく、一組一組の光源からばらばらに照射され、かつ灯具は古建築に付けるのではなく、古建築から二・五メートル以上離れたところにある石の台座に固定された。灯りをつけているときには、両側に一名ずつ見張り役の職員を置き、さらに測光計で何度も敏感な部分の光線量を測り、基準を超えないようにしている。われわれは建物ごとに異なる室内光線を設計し、最も良い視覚効果を得られるようにし、一年半にわたる研究の末、とうとう「明るい紫禁城」を実現させた。例えば、昔は太和殿の飾り天井はほとんど見えなかったのに、今では明るく照らされてはっきりと見ることができる。中和殿、保和殿、乾清宮、交泰殿がすべて明るく照らされた。こうした原状陳列の殿堂は、今までの規定では三カ月ごとに系統的な清掃作業が行われていたが、今では二週間に一度行われている。なぜなら、はっきりと見えるようになると、きれいに保たないとすべてが露呈してしまうため、しばしば埃を払い、きれいにするようになったというわけだ。このことは文化財保護の知る権利と監督権を人々が得ることによって、文化財がきちんと保護されるようになるということを示している。

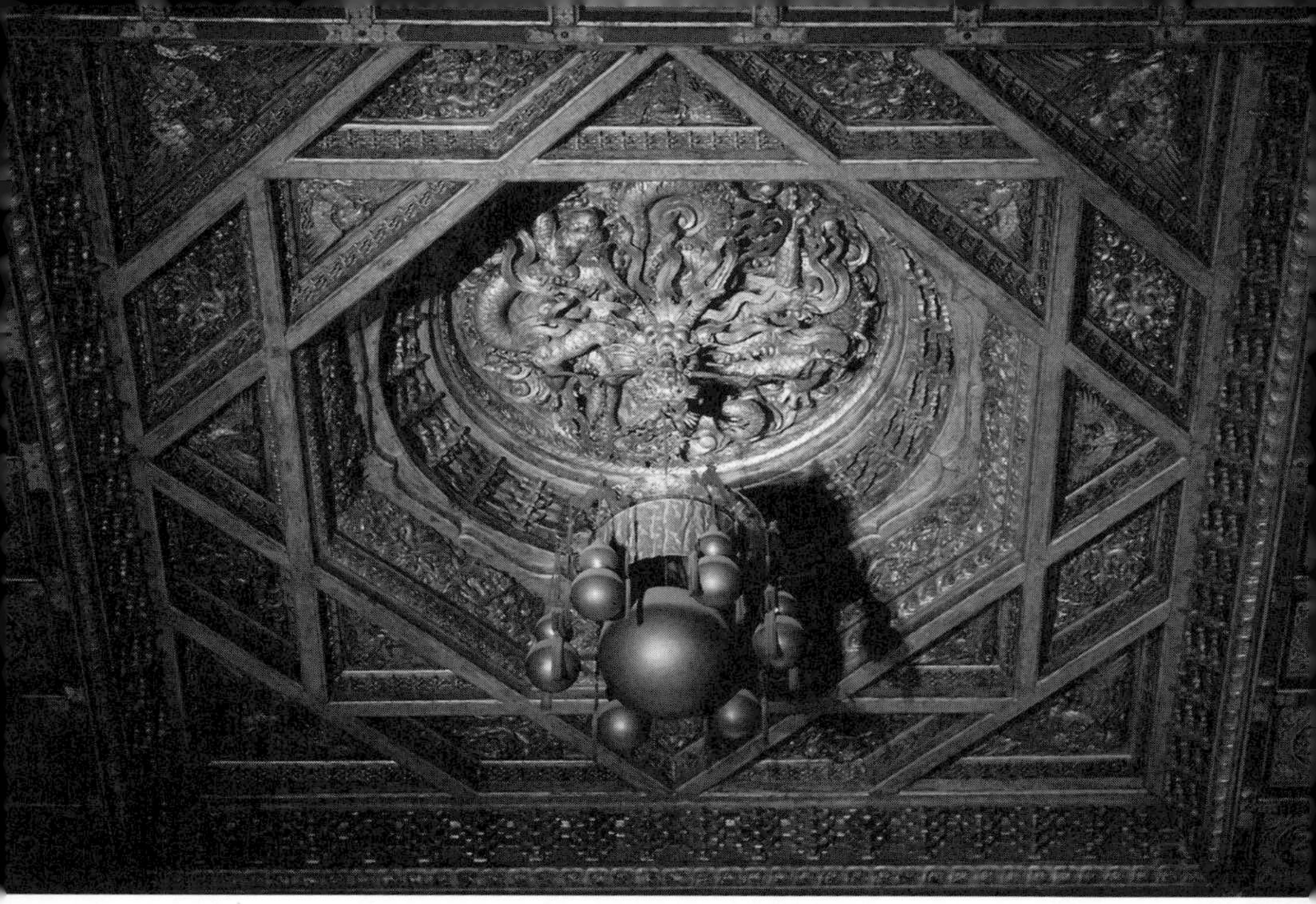

ライトアップされた太和殿の飾り天井

故宮の清掃作業員と一緒に

弐

第二章

どれくらいの貴重な文化財があるか

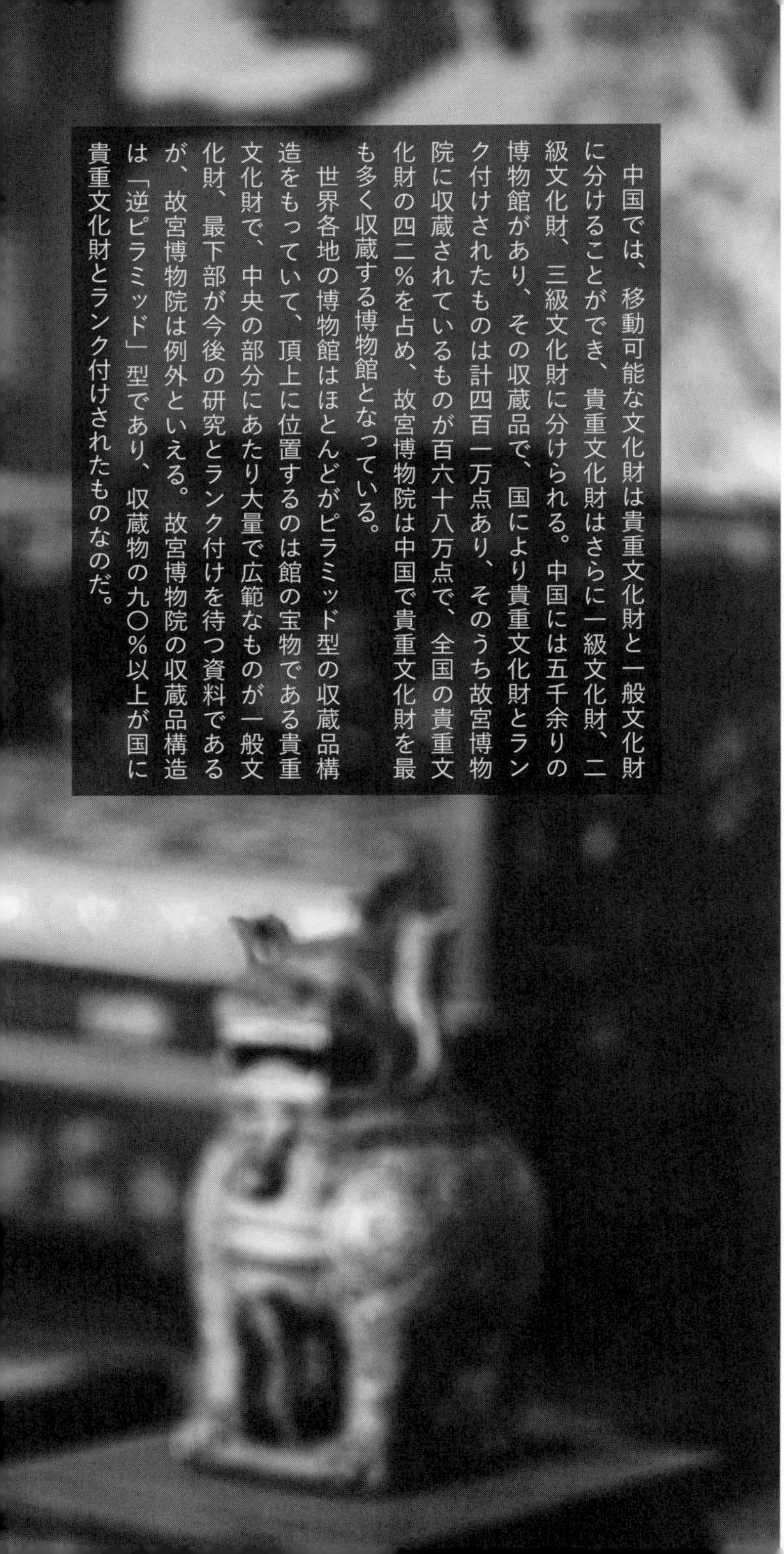

中国では、移動可能な文化財は貴重文化財と一般文化財に分けることができ、貴重文化財はさらに一級文化財、二級文化財、三級文化財に分けられる。中国には五千余りの博物館があり、その収蔵品で、国により貴重文化財とランク付けされたものは計四百一万点あり、そのうち故宮博物院に収蔵されているものが百六十八万点で、全国の貴重文化財の四二%を占め、故宮博物院は中国で貴重文化財を最も多く収蔵する博物館となっている。

世界各地の博物館はほとんどがピラミッド型の収蔵品構造をもっていて、頂上に位置するのは館の宝物である貴重文化財で、中央の部分にあたり大量で広範なものが一般文化財、最下部が今後の研究とランク付けを待つ資料であるが、故宮博物院は例外といえる。故宮博物院の収蔵品構造は「逆ピラミッド」型であり、収蔵物の九〇%以上が国に貴重文化財とランク付けされたものなのだ。

故宮にはどれだけの「財産」があるのか

故宮博物院が博物館であることは誰もが知っているが、博物館であるならば自らの収蔵文化財をもっている。故宮博物院は明清二王朝の皇帝が収蔵していた歴代の貴重で優れた芸術品があるだけでなく、故宮博物院が設立されてから、特に中華人民共和国が成立した後に集められた各地に散逸していた名品もある。そのため、故宮の財産が相当数であることは、以前よりはっきりしていた。同時に新しく集められた収蔵品も増え続けていて、毎年変化があり、われわれは整理を行う必要があった。

収蔵品の整理は博物館の基礎的業務である。故宮博物院にある清の宮殿の遺物の数は膨大で、種類も多く、分散して保存されているため、清代の収蔵品という「財産」がいったいどれだけあるのか、歴代の「故宮人」は常に探究してきた。

一九三四年にはすでに、馬衡院長が行政院および本院理事会に提出した報告の中で、収蔵品整理について、「根本から改善する決意なくして、永久に揺るがない基礎を築くことは難しい」と指摘している。実際に、正常に運営されている限り、故宮博物院の文化財整理はずっと止むことなく行われてきた。今まで故宮博物院では、一九二四〜一九三〇年、一九五四〜一九六〇年、一九七八〜一九八〇年代末、そして一九九一年以降の計四回、文化財整理作業が行われた。

第一次文化財整理の後に編纂された六編二十八冊の「故宮物品点検報告」の中には、合計で百十七万点余りの物品が登記されている。

中華人民共和国の成立後、収蔵文化財の整理作業はさらに大がかりなものとなり、もとからあった収蔵品以外にも、その他の博物館や文化財部門から移された多くの文化財や大量の個人からの寄

故宮博物院のサイト上にある収蔵品総目録

贈品、そして故宮以外の場所に散逸していたものを収集した旧収蔵品の整理をする必要が生じた。

一九九〇年と一九九七年には、故宮博物院の一期・二期地下倉庫が完成し、もともと地上の倉庫に置かれていた九十万点余りの収蔵品が続々と地下倉庫に運ばれ、地上の倉庫に保管されていた収蔵品にも適宜調整が行われた。

二〇〇二年に鄭欣淼院長が着任すると、故宮博物院では二〇〇四〜二〇一〇年に第五次文化財収蔵品整理が行われ、これは全面的な文化財整理でもあった。この整理は七年もの間続けられ、院の創設以来最大規模のものの一つとなった。全面的・系統的な整理により、故宮博物院の収蔵文化財の数は百万点近くから百八十万七千五百五十八点となり、中でも貴重文化財は百六十八万四千四百九十点で、一般文化財は十一万五千四百九十一点、標本は七千五百七十七点となった。これは故宮博物院創設以来、初めて算出された収蔵文化財数における科学的データである。そのため、私が着任初日に教えられたのは、故宮博物院の収蔵品数は百八十万七千五百五十八点であるということだった。

長期的に故宮の収蔵品の完全な情報は公表されたことがなく、大衆のみならず、一部の専門研究者も故宮の収蔵品の全体的状況についてあまり知らないという事態を引き起こした。二〇一〇年以来、文化財整理の基礎のうえに、故宮博物院は『故宮文物収蔵品総目録』の編纂を始め、分野ごとの『故宮博物院収蔵品大系』を一般向けに出版して、人々の研究や鑑賞の需要に応え、博物館の大衆教育と社会奉仕という使命を実践した。

幾世代もの「故宮人」の努力により、故宮博物院の収蔵品は基本的に完全な管理制度をもつようになり、帳簿と物品が一致し、鑑定が正確で、記録が完全で、管理部門への報告が即時に行われ、妥当に保管され、調べるのに便利で、実物と目録が完全に対応している。そのため、二〇一三年の初めに、われわれは故宮博物院の収蔵文化財総目録を公表し、データと収蔵品の情報を一般公開したが、これは大衆にしてみれば「家財の公表」であり、故宮博物院がいったいどんな収蔵品をもっているかを知らしめて、同時に社会的監督を受けさせ、社会にわれわれの仕事の評価をさせることにもなった。学術界や専門の研究者にしてみれば、故宮博物院の学術資源の公開により、各方面の研究がより便利になったといえる。

続いて国務院が全国で初めて移動可能な文化財の全面的調査を行ったという背景のもとで、故宮博物院もまた二〇一四〜二〇一六年に「三年間の収蔵品整理」を行い、新たな収蔵品データを得ている。それは以下のとおりだ。

二〇一六年十二月三十一日時点の故宮博物院の収蔵品数は百八十万七千五百五十八点から百八十六万二千六百九十点に増え、そのうち貴重文化財は百六十八万三千三百三十六点で、一般文化財は十六万三千九百六十九点、標本は一万五千三百八十五点であった。二〇一〇年のデータと比べると、収蔵品は五万五千百三十二点増えている。種類別では、三種類の収蔵品の増加数が最も大きく、乾隆帝自筆稿と書簡が七百二十六点、甲骨類の文化財が一万六千五百十一点、陶磁器類が四千四百二十五点、標本が七千八百八点であった。これらのうち一部は長年にわたって収集されてきたものであり、一部は各界人士が寄贈したもので、さらに収蔵品整理の過程で新たに発見されたものが相当数あった。これらの百八十六万点の文化財は、完全な体系を有し、各時代をカバーし、優れた質と豊富な種類をもつものと言ってよいだろう。

故宮の収蔵品がすべて清代のものであると誤解している人もいる。実際には、故宮の収蔵品は各時代・各地域のものを網羅していて、清代の皇帝が収蔵していても、それらはもっと歴史の古い以前の王朝の文化財であることが多い。

百八十六万点の文化財は文物収蔵品、古建築収蔵品、古書文献収蔵品を主とする。古建築は言うまでもないが、古書について言うなら、故宮の収蔵品のうち約六十万点が古書文献であり、それらには武英殿刊行書籍、元明清の木版書籍、明清の写本、地方誌、宮中特別収蔵品、宮中文書、内府劇台本、民族文字古籍などが含まれている。これらのうち、二十四万点の書籍版木は極めて重要なもので、そのために故宮博物院は世界でも書籍類の文化財を最も多く収蔵している博物館でもある。

古建築類と古籍文献収蔵品、それに文物類収蔵品の二十三種類を加えた計二十五種類が故宮博物院の収蔵品を構成している。この分類方法は収蔵品の素材を考え、さらに用途も考慮にいれ、二者の分類方法を総合したもので、全国の博物館収蔵品分類体系の中でも種類が最も揃っていて、分類方法が最も特徴的なものだろう。これはおもにわれわれの収蔵品の数が極めて膨大で、種類もかなり豊富であることに起因する。

二十三の収蔵品分類

文物類収蔵品の二十三種類とは、陶磁器、絵画、法書、銘刻、青銅器、玉璽・印章、刺繍、文房用品、家具、時計・器械類、琺瑯、漆器、彫刻・塑像、金銀錫器、玉石器、ガラス器、竹・木・牙・

角・フクベ品、宮廷宗教、装身具、武器・儀仗用品、音楽・戯曲用品、生活用具、外国文物である。

①陶磁器類収蔵品

故宮博物院は中国でも陶磁器の収蔵品が最も多い博物館で、三十六万点余りを収蔵する。このほか、故宮にはさらに数千点もの陶磁器類の実物資料と三万点余りの陶磁器片の標本があり、これらの標本はすべて中華人民共和国の成立以来、故宮の研究者が全国の百五十余りの重要な窯元から採集したものだ。故宮博物院に収蔵されている中国陶磁器はそれ自身が体系をなし、中国で陶磁器生産が途絶えず続いてきた歴史を全面的に反映しているものといえ、特に宋代の五大名窯と明清代の官窯の磁器の収蔵は数の上からも質の上からも世界一といえる。

②絵画収蔵品

われわれは五万三千点近い絵画を収蔵しており、その中には『五牛図』『清明上河図』『千里江山図』などの古典的名作が含まれている。故宮博物院の絵画コレクションは明清代の宮廷収蔵品を基礎とし、清代とくに乾隆帝の時代には、内廷に収蔵された歴代名画の数は極めて多く、全盛を極めた。しかし清末の社会動揺のため、一部の書画は宮中から出て散逸してしまった。この後、文物は南へ移され、さらに一部が台湾へ運ばれたため、一九四九年には故宮博物院が収蔵する書画はすでに大きく減少していた。中華人民共和国の成立以来、国の重点的な支援を受け、国家文物局は一九五〇年代に調査・整理・配分・接収などのさまざまな方法で集めた書画作品を何度かにわけて故宮博物院へ引き渡し、その中には国が大金を払って外国から買い戻した貴重な作品も含まれていた。多くの国内外の愛国コレクターは秘蔵品を無償で寄贈してくれ、故宮の書画収蔵品を豊富なものとした。同時に故宮博物院はコツコツと買い取りや収集を行うことで、傑作絵画を発見して収蔵していった。それに加え一九九〇年代以降、しだいに芸術品競売が盛んになったことで、運命に翻弄されていた貴重な絵画が故宮博物院へと買い戻された。故宮博物院の絵画コレクションのレベルは全国一といえ、各時代を網羅する名作が含まれており、絵画コレクションもまた、故宮博物院の芸術収蔵品の中の至宝といえる。

③法書収蔵品

故宮博物院には約七万五千点の法書がある。ずっと書法（書道のこと）と呼ばれていたんじゃないの？　どうして法書と呼ぶの？　と聞く人もいるかもしれない。実際には、法書と書法は異なるものだ。法書とは、古代の名家の墨跡の尊称であり、書法作品の模範という意味が含まれる。明清代には宮廷の内府に歴代の法書作品が集中的に収蔵されており、これらは康熙帝時代に編纂された『佩《はい》文斎書画譜』と乾隆・嘉慶帝時代に編纂された『石渠宝笈《せっきょほうきゅう》』三編にすべて記載されている。二十世紀初めの清の皇帝が退位した前後の時期には、法書の一部が散逸してしまった。中華人民共和国の成立前には、法書もまた国民党当局により台湾に運ばれ、現在も台北の故宮博物院に一部が保存されている。一九五〇年代以後、政府の配慮と張伯駒、陳叔通、朱文均、羅福頤などのコレクターたちの貢献により、多くの法書の傑作は再び紫禁城に戻り、故宮の書法倉庫も再建された。神龍本『蘭亭序』、『中秋帖』、『伯遠帖』などの法書の傑作は、故宮博物院の極めて重要な収蔵品となっている。

④銘刻収蔵品

文字のある文化財は文字のないものよりも貴重であるといえ、このために故宮博物院が収蔵する三万三千点の銘刻はとても重要な文化財とされている。「銘刻」という言葉には銘文と彫り刻まれたものという二つの意味が含まれていて、その中には商代の甲骨刻辞、商周の銅器銘文、そして戦国・秦・漢以降の印章、レンガや瓦、陶器、封泥、刻石、碑や帖などがある。それらの表面にある文字はみな銘刻の範疇に含まれる。中でも碑帖（碑文を写し取った拓本）は二万八千点ある。歴代の帝王がみな書法に情熱を傾けていたことはみなさんご存じだと思うが、彼らは各地の名山や大河にある石刻の情報を広く集めていて、何百年も経った後にはそれらの自然状態に置かれていた碑刻は風化あるいは破損が進んでいるが、以前のよりよい状態の拓本が博物館の中に保存されている。

故宮の碑帖の一部は清代に収集されたものだが、大部分が中華人民共和国成立後に新たに集められたものである。法書・絵画・碑帖の三種の紙質の文化財は合わせて十五万六千点にのぼり、世界の博物館の中でも比類がないコレクションを誇っている。

銘刻類文物の中にはさらに十個の石鼓があり、これは国宝中の国宝といえるものだ。この十の石鼓は中国早期の文字の実物を証拠づけるもので、これらが経てきた道のりも紆余曲折に富んでいて、現在まで残ったのも実に容易ではなかった。これらの十個の石鼓のために、故宮博物院では専門の「石鼓館」をつくり、以前は皇極殿の東棟に保存されていたが、現在は独立して寧寿宮に置かれている。また、以前、故宮博物院のサイトでは、故宮博物院には四千七百個の河南省安陽市の殷墟から出土した甲骨が収蔵されていると書かれていたが、実際には故宮博物院には二万三千個が収蔵されており、研究をすべて終え、収蔵品に加えられるまで六年もかかった。これらの商代の甲骨刻辞は亀の甲羅や獣骨に刻まれた文字で、甲骨文と呼びならわされている。すでに発見されている甲骨文字は約五千字で、さらに多くの文字が現在解読中である。故宮博物院の収蔵するこれらの甲骨は、『殷墟書契続編』『卜辞通纂』『殷契佚存』『殷契拾掇』『殷契拾掇二篇』『甲骨文合集』などの書籍に収録されており、すべて中国の長い歴史において計り知れない価値をもつ宝である。

青銅の鼎

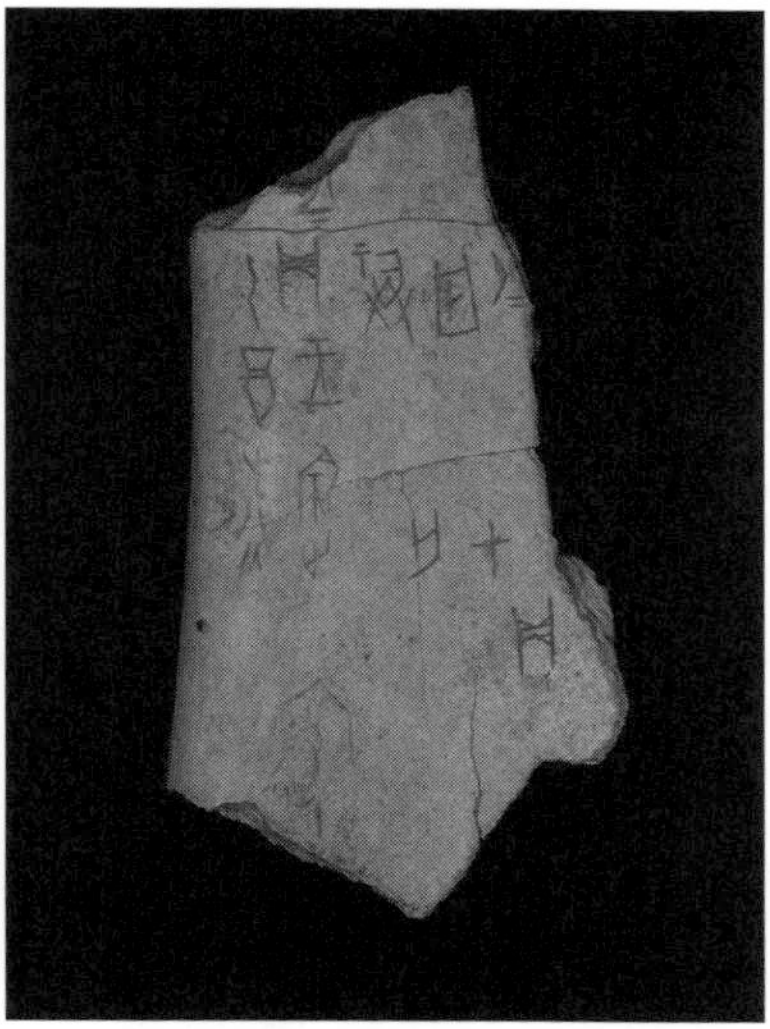

甲骨刻辞

⑤青銅器収蔵品

青銅器文化は人類の文明発展のある段階における産物であり、中国の大型青銅器は夏朝晩期にはすでに出現していて、商朝前期と後期には堂々たる規模の緻密な紋様のあるユニットをなす青銅器が出現していた。西周・春秋・戦国時代になると、歴史事件についての文字が長々と刻まれた青銅器が数多く誕生した。青銅器の製造と発展は歴代絶えることなく綿々と続いてきたものの、社会生活に比較的大きな影響を与えていたのは、やはり秦以前の時代である。清代に収蔵されていた青銅器は、乾隆帝の時代にはすでに数千点にものぼっていて、そのうち一部が後に台湾に運ばれ、一部が散逸してしまった以外、残りはいまだ故宮にある。それに加えて、中華人民共和国成立後に、続々と政府によって移動されたり、個人が寄贈したり、故宮博物院が買い取ったりした青銅器があったため、故宮博物院に現存する青銅器はすでに一万五千点余りに達している。

青銅器は中国の多くの博物館に収蔵されているものの、故宮博物院は中国でも青銅器を最も多く収蔵する博物館であり、その中でも秦以前の青銅器が多く、一万点ほどある。故宮博物院は世界でも秦以前の銘文のある青銅器を最も多く収蔵する博物館であり、われわれの千六百点余りの秦以前の銘文のある青銅器は、大きな研究価値があるといえる。

⑥玉璽・印章収蔵品

玉璽・印章は証明ツールの一つである。国事においても、公務においても、個人においても、印を押すことでその証拠としたため、各種の官印や私印が生まれた。玉璽・印章は東周の時代に生まれたものと考えられており、その後脈々とその伝統が引き継がれてきた。故宮には玉璽・印章が五千六十個収蔵されているが、そのうちの多くが明清代の皇帝・皇后の玉璽・印章で、明清代の公的な玉璽・印章制度と一部の皇帝や皇后などの個人的嗜好を明らかにしている。

⑦刺繍収蔵品

故宮には十八万点余りの古い刺繍品があり、それには服飾品、布地、装飾用刺繍品、刺繍書画の四種類がある。中でも服飾品は仕立て済み衣服、帽子、冠類、靴や靴下、帯につける装飾品、仏衣、手工芸品などに分けられる。布地類には錦、緞子、綾絹、薄絹、紗、絹、羢(けば仕上げの織物)、つづれ織り、綿布などがある。装飾用刺繍品には、寝具、座布団、クッション、手乗せ枕、椅子の背カバー、暖簾、カーテン、蚊帳、引幕、掛け布団、枕、オンドル用敷布、アンペラ、テーブルスカートなどがある。刺繍書画は書画や詩文などの作品をもとに、織りや刺繍などの技術で再現された鑑賞用芸術品で、装飾方法には、軸・巻・冊・条屏(壁に掛ける縦長の書画)・屏風・扇面・紙で裏打ちなどの方法がある。

故宮博物院の刺繍収蔵品の多くが清の宮中用品で、ほとんどすべて江南の南京・蘇州・杭州で作られたものだ。総括していえば、故宮の刺繍コレクションは数が多く、種類も多く、規格が高く、質と保存状態がよく、中国および世界の博物館の中でも屈指のものといえる。これらは清代の服飾制度や絹製品製造技術レベルの研究、絹織物産業の発展状況および清代の歴史文化、宮廷生活、芸術的審美感、思想観念などすべてにおいて極めて重要な価値をもっている。

⑧文房用品収蔵品

故宮には六千八百点余りの文房四宝、すなわち筆・墨・紙・硯がある。文房四宝は極めて中国的な文書用品で、その名称は南北朝時代に始まり、文人書房用具のことを指し、筆・墨・紙・硯が文房で使うものであるために文房四宝という。湖筆（浙江省湖州市で作られる筆）、徽墨（安徽省徽州府産の墨）、宣紙（安徽省宣城地域で漉かれた紙）、端硯（広東省肇慶で産出された端渓石から作られる硯）が最も有名だ。「文房四宝」は実用性が強いだけでなく、同時に絵画・書道・彫刻・装飾などの各種の芸術を一体とした芸術品でもある。実際には、「四宝」以外にも文房用品として、筆立て、筆置き、墨箱、腕枕、筆洗い、書鎮、硯の水入れ、水杓子、硯の水差し、硯箱、朱肉、印鑑ケース、紙切り、印章、巻き枠などがある。故宮博物院が収蔵する文房用品はほとんどが清代の名職人が製作したもので、皇室の御用のために材料に凝り、美しい装飾が施さ

碧玉交龍紐「古稀天子之宝」の印章

れている。これらは中国の数千年にもわたる文房用具の発展レベルと職人たちの創造の智慧と芸術的才能を示すものであり、文房用品の中の至宝といえる。

⑨家具収蔵品

故宮には六千二百点余りの明清代の家具が収蔵されている。この中で明代家具が三百点余りで、清代家具には寝台、椅子類、テーブル類、箪笥類、屏風類、台座などがあり、すべてが揃っている。さらに日本家具、西洋家具が五百点近くある。材質からみると、カリン、ユソウボク、黒壇、ウェンジ、ローズウッド、ケヤキ、クスノキ、カバノキ、ニレノキ、樹木のこぶ、ツゲなどが使われ、特に紫檀や黄花梨（ニオイシタン）などが使われた家具が多く、極めて貴重である。これらの家具は一部が清の宮殿内の製造所で作られた以外、ほとんどが全国各地のもので、中でも広東家具、北京家具、蘇州家具、山西家具が最も有名である。故宮博物院に収蔵されている家具は基本的に明清家具の風格的特徴を全面的に反映していて、明清代の家具芸術およびその時期の思想文化研究に極めて重要な指導的・参考的価値があり、中国の極めて貴重な文化遺産といえる。

⑩時計・器械収蔵品

中国では博物館が収蔵する外国の文物はとても少ないが、故宮博物院は例外といえる。ここ五百年近い文化交流の中で、特に外国使節の納貢や貿易交流により、故宮には一万点にものぼる外国の文物が保存されている。西洋時計コレクションにおいては、故宮は世界でも十八世紀の西洋時計の収蔵数が最も多く、質も最高の博物館であり、合計二千二百点の西洋時計や器械をもち、その内訳は時計が千五百点、器械が七百点である。こうした時計・器械は故宮博物院の多くの収蔵品の中でも特殊な種類のものであり、明末以降の西洋学術の東方伝播の産物であり、明清代の中国宮廷における中国と西洋文化の交流を反映する重要な遺物でもある。明末、中国にやってきたキリスト教の宣教師たちは、効果的な布教方法を模索したが、西洋科学の成果を見せることで布教の助けとするという策略をとった。彼らは欧州から携えて来た時計や器械を献呈し、あるいはその学識や技術により、中国社会とくに清の宮廷に世俗的サービスを提供し、自らの技術の優秀さをアピールした。造辨処（清の皇室が使う製品を製造する専門機関）の職人たちに大量の時計・器械を製造させることなどで、当時の宮廷の学問の方向性に影響を与え、宮廷が自ら進んで時計・器械を導入・購買・製造するように仕向けた。この歴史的状況が中国の宮廷時計コレクションの特殊性を生み、中国と外国との文化交流とその影響により育まれた代表性・典型性・広範性は、世界のいかなる博物館のコレクションとも比べようがない。

⑪琺瑯《ほうろう》収蔵品

故宮は中国の金属素地の琺瑯（七宝）器の数が世界でも最も多い博物館であり、六千六百点の琺瑯器を所蔵し、元代から清代、中華民国期までの金属素地の琺瑯器をすべて網羅している。中でも掐《こう》糸（有線）琺瑯器が四千余点あり、描画琺瑯器が二千点余りで、このほか彫刻素地の琺瑯器、板金加工素地の琺瑯器、透明な琺瑯器などがある。これらのほとんどが明清代の皇室付属機関によって生産されたもので、民間工房のものは少ない。故宮博物院が収蔵する琺瑯器の用途は広く、宮殿陳列用、宗教祭祀用、殿内建築装飾用、日常生活用など各方面におよび、中国の金属素地の琺瑯器の歴史を研究するうえで貴重な実物資料となっている。

⑫漆器収蔵品

故宮にはさらに一万九千点にものぼる漆器があり、全世界の博物館の中でもごくまれなものだ。

漆器は木あるいはその他の材料で形をつくり、それに漆を塗って作る器であり、実用的でかつ鑑賞的価値がある。中国は世界で最も古くから漆の特性を知り、漆を様々な色にして美化と装飾に用いてきた国である。故宮博物院が収蔵する漆器の数は世界の博物館の中でも最多で、元明清代の作品を主とし、数は少ないが早期の作品もある。元明清代の作品は宮廷の作品がほとんどだが、民間の作品も含まれている。これらの漆器は種類が揃い、内容が豊富であり、技術水準がかなり高く、研究価値のあるもので、世界工芸美術品の重要な一部といえる。

⑬彫塑収蔵品

彫塑は造型芸術の主たるものであり、彫刻・塑像の総称である。彫刻は多くが木や石、金属などの素材に施されていて、塑像は粘土が主な材料となっている。

故宮博物院が収蔵する彫塑は古くは戦国時代、新しいものでは清代の彩色俑、木彫、石彫、陶磁器彫刻の仏像が多く、漢代の画像磚《せん》（模様を線刻、浮き彫り、または型押ししたレンガ）と画像石、隋唐代の人物や動物のレンガ彫刻、宋代二十四孝レンガ彫刻などもある。故宮博物院が収蔵する彫塑はおもに清の宮廷のコレクション、国からの交付品、寄贈品や購入品などである。故宮博物院は中国でも彫塑文化財の重要な収蔵機関の一つであり、収蔵する彫塑の種類が揃い、内容が豊富で比較的高い歴史的・芸術的価値で国内外に知れ渡っている。

⑭金・銀・錫器収蔵品

故宮にはさらに一万千点の金・銀・錫器があり、すべて古来より伝わる芸術品である。

宮廷内の金・銀・錫器には鋳造、彫金、金線加工などのさまざまな技術が使われ、造型がすばらしく、装飾が精緻で極めて宮廷的特色に富み、高い歴史的・芸術的価値をもつ。中でも金器はおもに清の宮殿の遺物で、大部分が清代に製作され、清代の典章・祭祀・冠服・生活・馬具・装飾・仏事などに使われたものだ。銀器も大部分が清代に製造されたもので、銀壺・銀杯・銀小箱などが主である。錫は形がさまざまで、詩文や花や山水、人物が刻まれ、さらに一部には個人の収蔵印が刻まれていることもある。

⑮ 玉石器収蔵品

二万三千点の玉石器は故宮博物院のコレクションの誇りである。中華五千年の文明といわれるが、故宮博物院の収蔵品からは八千年まで遡ることができる。例えば東北地方で出土した紅山文化の玉器、浙江省で出土した良渚《りょうしょ》文化の玉器、さらにはより早期の安徽省凌《りょう》家《か》灘《たん》文化の玉器などがあり、故宮博物院は広範なコレクションをもっている。これらの玉石器はおもに清の宮殿の遺物で、中でも玉器が絶対多数を占め、その他、水晶、メノウ、ラピスラズリ、芙蓉石（ローズクォーツ、紅水晶）、孔雀石（マラカイト）、珊瑚などの貴重な石からつくられた器物もあって、種類が揃い、優れた技術が使われている。

⑯ ガラス器収蔵品

故宮博物院にはさらにガラス器のコレクションがある。ガラス器は明清代には「科器」ともいわれた。中国のガラス製造技術は二千年余りの歴史があるが、事実上、清以前にはずっとゆるやかな速度で発展していたに過ぎなかった。清の康熙帝代以降、西洋の科学技術の影響のもとで、清の宮中にガラス工場が正式に設立された。この後、宮廷の御用ガラス器の製作が清末まで続けられ、中でも康熙・雍正・乾隆の三時代が最高峰となった。

⑰竹・木・牙・角彫刻収蔵品

このほか、故宮にはさらに竹彫刻、木彫、象牙彫刻、サイの角彫刻など、一万千点の彫刻工芸品があり、ふつうこれらは「雑種目」と呼ばれている。こうした工芸品は極めて古い歴史をもち、日常的に使われていたものであるが、かなり長い間、安定した技術伝統が形成されることがなかった。明清代になって工芸美術の分野全体の繁栄・発展によって、竹・木・牙・角彫刻も空前の成果を得た。これらは独特な工芸技法をつくりあげ、大量の美しい作品を残し、全国的に名を知られる地方物産を生み出して、上流社会からも注目された。異なる材質を彫刻したさまざまな作品により、竹・木・牙・角彫刻はそれぞれに完全で独特な彫刻技術をもち、代々整然としたきまりが伝承され、同時にさまざまな姿の作品を後世に伝えている。

⑱宮廷宗教収蔵品

故宮博物院に収蔵されている宗教文化財は四万二千点で、漢伝仏教、チベット仏教、道教、シャーマニズムの四種類をカバーする。漢伝仏教は清の宮殿が収蔵していた各種の仏教経典と、故宮博物院成立後に収蔵した各種の仏像を主とする。道教文化財は五百点余りがあり、欽安殿と玄穹宝殿に保存されている。シャーマニズム文化財は数十点で、坤寧宮に保存されており、これらはすべて古建築と切り離されたことがなく、一般的な文化財に比べより高い歴史的・文化的価値がある。故宮博物院が収蔵する宗教文化財のうち八割がチベット仏教文化財で、二万三千点の仏像、七千点の祭法器、千九百七十点の十八世紀のタンカ（チベット仏教の装飾布絵巻）がある。これらはもともと清の宮殿の各所にあったチベット仏教の仏殿に置かれていた。ほとんどが清代の民族宗教の領袖が皇帝へ献上した贈り物である。

⑲ 装身具収蔵品
故宮博物院にはさらに大量の清代の宮廷装身具が収蔵されている。こうした装身具は広儲《ちょ》司と造弁処の撒花（花模様）作、累糸（線細工）作、玉作、牙作、象嵌作、珐瑯作などの部門が製作したものだ。習慣的に頭飾、頚飾、珮飾などのいくつかの種類に分類される。これらは高貴で優雅な造形で、細工が非常に細かく、厳格な等級を示していて、職人たちの極めて高い技術を体現している。

⑳ 武器・儀仗収蔵品
故宮には武器や儀仗品も少なからず保存されている。これらの大部分が清代の皇帝が使用したもので、閲兵や騎射に使われた実物と大量の鑑賞用・陳列用のものがあり、同時に八旗官兵の遺物もある。さらに全国各地から宮廷に献上された武器や、少ないながらも外国の兵器もある。

分類からいうと、現在故宮にある武器は、冷兵器と熱兵器（火薬）の二種に分けられ、甲冑、弓矢、槍・銃類、刀剣、大砲などがある。材質からいうと鋼、鉄、銅、木、動物の皮、象牙、骨などが使われている。これらの武器は清代の数百年間の軍備の移り変わりや盛衰を見せてくれる歴史の証拠品であり、当時の特殊な歴史的背景のもとで、中国の伝統的な武器装備と世界の兵器が発展・融合した縮図ともなっている。

㉑ 音楽・戯曲収蔵品
音楽戯曲類の文化財は故宮で極めて特殊な種類の文化財といえ、清代の儀式用楽器を主として、祭祀や儀式、宴会の際に演奏される「中和韶楽」「丹陛大楽（中和韶楽よりも格式が低く、小規模）」などで使われる楽器が含まれていて、さらには民族楽器や西洋諸国から献上された西洋楽器もある。このほか、清代の宮中では戯曲が盛んに上演されていたため、堂鼓、月琴などの戯曲伴奏用楽器が

大量に残されている。これと同時に戯曲上演に関連した衣装や面、レコード、戯曲台本などの文化財も、清の宮廷で盛んに戯曲が上演されていた様子を再現してくれる。清代の音楽類の文化財のほかに、故宮には明以前の古琴もあり、これもまた極めて貴重なものである。

㉒生活用品収蔵品

故宮には灯籠や盆栽、如意（雲や霊芝の形をした縁起ものの道具）、薬品・医療器具、茶葉、食器、火打ち金などの一万三千点の生活文化財がある。基本的にすべて清の宮殿の所蔵品であり、一部に民間から集められた、あるいは個人が寄贈したものもある。言い換えれば、生活文化財はおもに皇帝や皇后たちが内廷の生活の中で使用した物である。例えばその中には多くの子どものおもちゃがあり、さらには当時の食品やプアール茶、中国伝統薬なども多く、どんな珍しいものもあると言ってよい。これらの物は種類が多岐にわたり、用途もそれぞれ異なるため、材質もすべて異なり、木、絹、毛、牛角、

秦「維天降霊延元万年天下康寧」の十二文字のある瓦当

宝石などがすべてである。これと同時に使われている技術もまったく異なり、染色、接着、刺繍、透かし彫り、象嵌など極めて多様だ。こうした器具の中でも比較的保存が難しいのが盆栽で、それ自体が大きく、また磁器や玉器などのように形が比較的整っていて箱に入れることができるものとは異なる。こうした盆栽は枝や花弁がふつう玉石で造られ、葉は牙材を染めたものが用いられるため、保管するにしても、搬送するにしても、陳列するにしても、極めて用心深くする必要がある。故宮が収蔵するこうした生活器具がもつ文化的価値はとても高く、人々に神秘的な宮廷生活を垣間見せ、同時に優れた中国の伝統工芸を見せてくれるものとなっている。

㉓外国の文物

故宮博物院にはさらに清の宮殿が収蔵していた外国の文物があり、多くがイギリス・フランス・ドイツ・スイス・アメリカ・日本などのもので、漆器・陶磁器・ガラス器、絵画、書籍、家具などの種類があり、十六世紀から二十世紀までのもので、中でも十八・十九世紀のものが多い。

あらゆる文化財の中で、日本の文物が数も種類もダントツである。これらの外国の文物は鮮明な地域的特色があり、その国の文化を見せてくれると同時に、中国とその他の国・地域との交流状況をも反映している。

収蔵品の収集

収蔵品の収集は、博物館にとって非常に重要な業務であり、自らの収蔵品を絶えず豊かにしていくための行為である。博物館の収蔵品収集には、野外採集、考古学発掘、寄贈受領、購入、民間からの収集、分配、他館からの移動といったいくつかのルートがある。なかでも寄贈は極めて重要な

エナメル加工の銀の望遠鏡

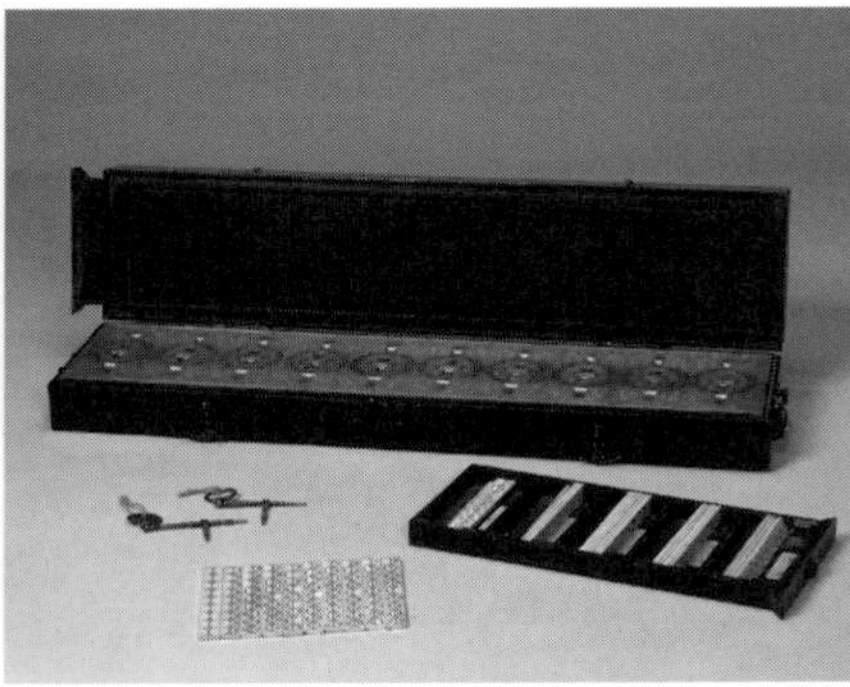

西洋の計算器

収集方法となっている。

故宮博物院の運営は少数の人がどんなに頑張ったとしても、それだけでは全く足りず、長期的な一般社会からの支持が必要で、社会の有識者や一般の方々の故宮博物院への援助、例えば個人コレクションの寄贈などが欠くことができない。院の創設以来、七百人余りが故宮博物院に貴重な収蔵品を寄贈してくれており、博物院もまた、このために景仁榜を設立して、寄贈者を顕彰している。近年、故宮博物院は続々と文化財の寄贈を受けていて、こうした行為は故宮博物院の発展と文化財の保護事業に重要な意義をもっている。

私はこうした寄贈という行為が社会一般に理解されることを願っていて、そのため、寄贈を受けるたびに、メディア発表会を開いたり、定期的に寄贈文化財展覧を行ったりして、その宣伝に努めている。われわれはさらに景仁宮に「寄贈館」という専門の場を設けて、選りすぐりの寄贈文化財を展示している。さらに出版物や記念文、また何周年記念といった方法で、寄贈という善意の行為を人々の記憶に刻みつけている。一部の重要な収蔵品、たとえば戻ってきた故宮の旧所蔵品の出版あるいは展覧などにおいては、寄贈者の情報を注記している。結局のところ、故宮博物院を今後、多くの人の助けによってますます盛んにしていく必要があるのだ。

故宮博物院は今も変わらず文化財の募集・収集に努めているが、厳格な収蔵原則もある。特に貴重なものは、各種の理由から清の宮殿から流出していった文化財で、故宮博物院はこうした文化財の寄贈を受けることを希望していて、一部の重要な文化財に対してはお金を払って購入することも可能である。例えば十数年前、故宮博物院はチャンスを捉えて張先の『十咏図』『出師頌』『研山銘』などの貴重な書画収蔵品を買い戻した。

寄贈を受けた文化財には古代芸術品が多く、特に故宮文化と関係のあるものが多い。例えば香港世茂集団理事局主席の許栄茂氏が二〇一八年に寄贈した『シルクロード山水地図』は、故宮博物院の貴重な収蔵品となった。しかし現代の芸術品に対しては、われわれは比較的慎重な態度をとっている。故宮博物院は寄贈品受入れが最も厳格な博物館だと言う人もいるが、確かに現代の芸術品に関しては、寄贈される書画作品あるいは芸術品が全国ないしは世界的に影響力のある大芸術家の作品であること、寄贈作品が大芸術家の原作であるだけでなく、大芸術家の代表的な作品であること、大芸術家がどれほど有名であろうとも、故宮博物院は十点以内の現代芸術品しか受け取らないという三項目の規定がある。このような規定はその他の文化機関に収蔵品を提供する機会を与えるためであり、同時に故宮博物院が二百年、二千年後も、各時代の最もよい芸術品を収蔵する場所であってほしいと願うためである。故宮博物院のやり方はその他の博物館が収蔵品を集めるより多くの余地を与えるためで、もし現代芸術品が大量に故宮博物院の文化財倉庫に収められたとしても、展示空間には限りがあり、展示する機会が得られず、そうだとしたら社会教育や文化伝播に何の意味ももたなくなってしまうからだ。

故宮の貴重な収蔵品の例

二〇一六年十二月三十一日時点で、故宮博物院が収蔵する文化財は百八十六万二千六百九十点であった。

これは、国内の博物館でトップであり、世界の博物館の中でもトップクラスのものだ。全世界の博物館の収蔵品数とそのランクは一般的にピラミッド構造をしていて、頂点にあるのが貴重文化財で、中央部が一般文化財、そして最下層は資料、すなわちまだランク付けされていない文化財である。しかし、故宮博物院は例外で、故宮博物院の収蔵品構造は「逆ピラミッド」形であり、収蔵文化財の九〇・四％が貴重文化財で、八・八％が一般文化財、資料は〇・八％に過ぎず、ほとんどすべてが貴重文化財と言ってもよい。故宮博物院からすれば、貴重であればあるほど文化財の数量は逆に多くなる。すなわち、貴重文化財ではないものは故宮博物院に入ることはできないともいえる。そのため、故宮博物院の責任は大きくないとはいえず、これもまた、故宮博物院が収蔵品保護に力を入れ続ける最も重要な理由である。

故宮博物院の収蔵品の主な供給源の一つである清の宮廷の旧蔵品もまた、故宮博物院の明清文物における強みとなっている。書画を例にとると、故宮博物院が収蔵する明清代の絵画の点数と名作の数量は特筆に値する。例えば故宮博物院には大量の呉派の書画があり、そのうち沈周の絵画が百六十七点、書が五十三点、文徴明の絵画が百三十四点、書が四十六点、唐寅の絵画が八十五点、書が四十点、仇英の絵画が百五点ある。また清代の宮廷絵画には、外国の宣教師カスティリオーネ（郎世寧）やアッティレ（王致誠）、シクルプス（艾啓蒙）などの作品があり、内廷の絵師である冷枚、金廷標、丁観鵬らの作品もすべて含まれている。

故宮博物院は収蔵品の体系においても強みをもつ。前述したように、故宮博物院の文化財は絵画、法書、銅器、金銀器、漆器、琺瑯器、玉石器など二十五種に大別でき、種類が揃っている。さらには主だった種類のものはすべて各時代のものが揃っていて、例えば収蔵陶磁器だけで中国陶磁器発展史の展覧を行うことができ、玉器のコレクションでは新石器時代から清末まで途絶えることなく収蔵品がある。この点で、世界で比肩するところはない。

ここで、みなさんに具体的に故宮博物院の貴重な収蔵品を紹介したいと思う。

陶磁器においては、われわれは名が知られた収蔵品を数多くもち、例えば唐代の邢窯《けいよう》白釉葵口碗、宋代の汝窯《じょよう》三足樽・哥窯《かよう》魚耳炉・官窯弦紋瓶・鈞窯《きんよう》月白釉出戟尊・龍泉窯青釉鳳耳瓶・定窯小児枕、元代の藍釉白龍門皿、明代の永楽青花圧手杯・宣徳青花梵文出戟盖罐・成化斗彩鶏缸杯・弘治黄釉描金獣耳罐・万暦五彩鏤空雲鳳紋瓶、清代の康熙紫紅地琺瑯彩纏枝蓮紋瓶・雍正琺瑯彩雉鶏牡丹紋碗・乾隆各種釉彩大瓶などである。これらはすべて歴代陶磁器の中の傑作といえるもので、中国史上各時代の陶磁器工芸の最高峰を代表するものである。

絵画方面においては、故宮の貴重な収蔵品あるいはその名が知れわたっている収蔵品はとても多い。例えば隋の展子虔《てんしけん》の『遊春図巻』、唐の閻《えん》立本の『歩輦《れん》図巻』や韓滉《こう》の『五牛図巻』、五代の董源の『瀟湘図巻』や顧閎《こう》中の『韓熙載夜宴図』、北宋の趙佶《きつ》の『祥龍石図巻』や張択端の『清明上河図巻』、元の倪瓚《げいさん》の『竹枝図巻』などである。

五万点の絵画作品の中でも数千点近くが国家一級文物で、中国の絵画発展の各時代の名画家・名作品をほぼ網羅していて、特に元以前の傑作が四百点余りあり、数の上で全国の博物館で一番となっている。それだけでなく、故宮の絵画作品にはたぐいまれな傑作も多く、ひいては災禍を経ながら現在まで伝えられた唯一の版本や実物もあり、すべて中国美術史上極めて重要な地位を占める。

故宮が収蔵する法書も同様に貴重なものばかりだ。例えば良く知られた「三希（清の乾隆帝が愛蔵した東晋時代の三つの書）」のうちの「二希」、すなわち、『中秋帖』と『伯遠帖』がある。さらには、晋の陸機の『平復帖』、隋の『出師頌』、唐の杜牧の『張好好詩巻』、宋の范仲淹《えん》の楷書『道服賛巻』などがある。絵画と同様に、われわれの法書の宝庫は国内外に名が知られているといってよい。

漆器方面においては、元代の「張成造」堆朱梔子花紋丸皿、「楊茂造」堆朱観瀑図八角皿、「張敏徳造」堆朱賞花図丸皿などがある。

彫塑方面では、河北曲陽白石造像は、古くは北魏晩期から、盛唐天宝年間までのものがある。五十体の広東韶関南華寺の木彫羅漢像は、北宋慶暦五年～八年に彫られたもので、世俗信仰研究の重要な資料である。何朝宗、石叟、尚均、楊玉璇らの陶磁器、銅・石彫作品も収蔵している。漢代の画像磚や画像石、そして宋代の二十四レンガ彫刻などもある。こうした彫刻・塑像はすべてとても高い歴史的価値と芸術的価値をもち、故宮の重要な収蔵品でもある。

金・銀器の方面では、元代の朱碧山銀槎、明代の銀方斗式杯、清代の乾隆金甌永固杯などの貴重な収蔵品、あるいは金銀器工芸上の佳作、あるいは比較的重要な歴史的価値をもつものがある。

玉石器方面では、大玉龍、玉神人紋多節琮などの古玉があるほか、著名な「子剛」款明代玉器もある。大量の清代の玉器もあって、特に大禹治水図玉山、丹台春暁玉山、青玉雲龍紋瓮などの巨大で、彫刻工芸も複雑かつ精美な玉器は、得難く尊いものだ。

玉璽・印章の方面では、清代に公的に用いられた「二十五宝」があり、同時に帝王の官印、私印を多く収蔵していて、なかでも乾隆帝の玉璽・印章は特筆すべきものだ。

刺繡方面では、清代宮廷の服飾品をかなり完全に収蔵しており、冠、袍、履、帯、腰飾りなどの各種類があり、完全に清代の法令や規範を再現できるもので、これは世界の他のいかなる博物館でも不可能なことである。

故宮が収蔵する西洋器械には時計とその他科学技術器械が含まれ、東西文化交流の歴史を証拠付けるものとなっている。この中には著名な金銅製「字を書く人」時計、金銅製「戦車を引く象」時計、金銅製石嵌め込み昇降塔時計などがあり、中国的要素が西洋的要素と融合して、造型が美しい工芸品であるのみならず、精巧で並外れた科学技術器械でもある。

チベット仏教収蔵品の中の多くが清の宮殿にあった仏堂に収められていたもので、その仏像・仏塔・タンカおよびその他各種の法器は、チベット仏教の清朝における発展と清の宮殿における盛行を物語っている。金鐘玉磬は清の宮廷における礼制の重要性を再現してくれるものだ。

古籍についていえば、貴重な収蔵品はさらに多い。例えば各種の版本の『大蔵経』、さらには武英殿で刊行された『康熙字典』『欽定古今図書集成』などである。これらの古籍は多くの王朝をカバーし、多種の形式をもち、多くが善本で、ひいては世にたった一つしかない貴重なものもある。

総括するならば、故宮博物院には百八十六万点の収蔵品があり、九〇％以上が貴重文化財で、収蔵品は二十五種類に分類され、どの種類もきわめて豊富であるということだ。われわれは、これらの貴重な文化財をなるべく多く人々に見てもらいたいと思ってきた。ここ数年、故宮博物院の展示空間、展示方式、内容は改善され続け、より多くの貴重文化財が続々と展示室に現れている。故宮の開放地域が広がるにつれ、展示レベルも向上し、故宮の展示室でより多くの貴重文化財を見ることができるようになるに違いないと私は信じている。

「現象」になった故宮の展覧

故宮博物院の収蔵品は百八十万点を超えていて、中国で文化財の収蔵品が最も多く、最も豊富な宝庫だ。しかし、今まではこうした収蔵品の大部分が倉庫の中で深い眠りについており、故宮に来た人も往々にして表面的に観光するだけにとどまった。実際には人々の文化財の展覧や収蔵品鑑賞に対する情熱はずっと存在し、かつそれはどんどん強いものとなっていたのに、彼らの得難い「故宮文化の旅」では、長らく見るのを楽しみにしていたものを見ることができず、それは彼らからすれば間違いなく残念なことだっただろう。実際には、われわれ「故宮人」にとっても、同様に残念なことで、なぜならわれわれもまた、故宮博物院の豊富な収蔵品をより多くの人に見てもらいたいと思っているからだ。このため、われわれはこうした状態を変え、文化財を「活かす」方法を探求しなければならなかった。

数年もの間、故宮博物院は古建築の修理や保護に努めたり、新たな展示区域を設けたり、新たに展示館を拡張したり、新たに展示室を設ける計画をたてたり、新たな展覧を開催したり、故宮内から職員を移転させたりして、より多くの収蔵品に出庫を「お願い頂き」、展示ホールに「御足労頂いて」、観覧者に鑑賞してもらっている。

まず、常設展示を改善した。例えば、珍宝館、時計館、書画館、陶磁館、石鼓館などの陳列展示を充実させ、新たに彫塑館、家具館、古建築館、武器館、デジタル館などの専門展示館を開設し、皇極殿、文淵閣、咸若館、寿康宮、暢音閣などの原状陳列を新設した。同時に開催する特別展の数もどんどん増やしている。こうした特別展のほとんどが特定テーマに基づく故宮の収蔵品の特別展示であるが、同時に協力展示や導入展示もどんどん増えていて、一部は故宮博物院と国外の博物館や文化機関と協力して開催され、さらに直接国内外の博物館や文化機関から運ばれて来たものを展示することもある。ますます多くの社会的影響力をもつ展覧が幅広い来院者に向けて絶えず行われている。

今までに開催された故宮の特別展示を挙げてみると、「古物擷《けつ》英――故宮博物院蔵寄贈陶磁器名作展」「純白恬静故宮博物院定窯磁器展」「清風徐来――故宮博物院蔵清代宮廷扇子展」「故宮所蔵歴代書画展」「故宮博物院所蔵清初〝四王〟絵画特別展」「紫禁城と〝海のシルクロード〟展」「故宮博物院所蔵四僧書画展」「趙孟頫《ふ》書画特別展」「千里江山――歴代青緑山水画特別展」「予所収蓄永存吾土――張伯駒先生生誕百二十年記念展」「硯徳清風――故宮博物院所蔵清代宮廷用硯名品展」「鉄筆生花――故宮博物院所蔵呉昌碩書画篆刻特別展」「賀歳迎祥――紫禁城の年越し」などがある。

国内の博物館や文化機関との協力展示を挙げてみると、「洛陽の牡丹と牡丹をテーマにした文物連合展」「開封の菊と菊をテーマにした文物連合展」「徽匠神韵――安徽徽州伝統工芸故宮特別展」「秘色重光――秘色磁器の考古学大発見と再入宮」「天禄永昌――故宮所蔵瑞鹿文物特別展」「清平福来――斉白石芸術特別展」「極限創造――二〇一九オリンピック博覧会故宮大展」「国色天香――紫禁城での牡丹鑑賞」「良渚《しょ》と古代中国――玉器が示す五千年文明展」「天下龍泉――龍泉青磁とグローバル化」「観魚知楽――宮廷金魚文化と故宮博物院が所蔵する金魚をテーマとする文物連合展」「須弥福寿――タシルンポ寺と紫禁城のめぐり逢い」などである。

国内外の博物館・文化機関と協力した展覧会として、「インド宮廷の輝き――英国ヴィクトリア&アルバート博物館秘蔵品展」「玲瓏《ろう》万象――アメリカのロシア皇室ファベルジェ装飾芸術展」「梵天東土　併蒂《へいてい》蓮華――四〇〇〜七〇〇年中印彫塑芸術展」「浴火重光――アフガニスタン国立博物館宝物展」「尚之以瓊《けい》華――十八世紀に始まった秘蔵芸術展」「エリザベート妃とハンガリー――十七〜十九世紀ハンガリー貴族の生活展」「銘心擷珍――カタール・アルタニコレクション展」「貴冑綿々――モナコ・グリマルディ王朝展」「エーゲ遺珍――ギリシア・アンティキティラ島水中考古文物展」「流金溢彩――ウクライナ博物館文物および実物と装飾芸術大展」「伝心之美――バチカン美術館蔵中国文物展」「有界之外――カルティエ・故宮博物院工芸と修復特別展」などが開催された。

今では全国各地に多くの現代的博物館が建設され、そのために故宮博物院の展覧も多くの都市で開催できる条件が整っている。特に長期的に故宮博物院は各地方からの支持を得て発展してきたため、われわれは「故宮の文化財里帰り展」を行ってそれに報いようとしていて、合肥での「御書房へ入る――清代宮廷文房用品特別展」、蘇州での「蘇・宮――故宮博物院所蔵明清蘇作文物展」、紹興での「蘭亭里帰り展」、揚州での「領異標新二月花――揚州八怪書画連合展」、杭州での「公望富春――名画里帰り展」、福州での「寿山石里帰り展」、温州での「鄭振鐸氏寄贈故宮文化財特別展」、宜興での「紫泥清韵皇家品位——故宮博物院秘蔵宮廷御用紫砂展」、常州での「常州画派女性画家秀作展」、黄山での「故宮博物院所蔵新安八家書画展」、瀋陽での「曾在盛京——瀋陽故宮南遷文物展」、成都での「天府の国とシルクロード文物特別展」、新疆での「故宮博物院清代新疆文化財秘蔵品展」、海南での「対話——海のシルクロードと紫禁城展」などが開催された。これらの現地に深く根ざした伝統文化文物展示は、現地市民に大いに歓迎され、自らが住む都市への理解を深め、故郷に対し強い誇りを持たせることになった。

忘れ難いのは、二〇一五年、故宮博物院が創設九十周年を迎えた際に、われわれはこの大切な時を祝う一連の祝賀イベントを行ったことだ。例えば、午門における「普天同慶——清代万寿盛典展」、武英殿における「石渠宝笈《せっきょほうきゅう》特別展」、斎宮における「大明御窯磁器——御窯遺跡出土品と洪武・永楽・宣徳伝世磁器の対比展」、延禧宮における「清淡含蓄——故宮博物院汝窯磁器展」、神武門における「故宮収蔵古写真特別展」、神武門における「故宮博物院文化財保護修復技術特別展」などである。

近年、年々増えていく常設展示・原状陳列以外、故宮博物院が毎年院の内外で開催する特別展は五十を越え、そこに出展される収蔵品の数も倍増している。特に喜ばしいのは、持続的に一連の展示を行うことで故宮博物院の展覧レベルが大いにあがり、社会の需要に基づいて積極的に展覧企画をたてるという理念が打ち立てられたことだ。こうした展覧は文化界に反響を呼び起こすだけでなく、社会に広い影響力をもち、ますます多くの人が展覧を通して故宮文化を知り、愛するようになっている。

ここで、特に二〇一五年に行われた「石渠宝笈特別展」と二〇一七年に行われた「千里江山——歴代青緑山水画特別展」について紹介しよう。これらは社会に大きな反響を呼び、一大センセーションを巻き起こし、「故宮跑（故宮走）」という流行語まで生み出した。ここからも故宮博物院に代表される優れた伝統文化が人々の心に占める重要な地位や、伝統文化の古典的作品への人々の崇拝と渇望を見て取ることができる。われわれは特に、観覧者の中で三十歳以下の若者が七割近くを占めていることに喜びを感じた。

まず、「石渠宝笈特別展」について見てみよう。二〇一五年は故宮博物院創設九十周年にあたり、多くの素晴らしい展覧が行われ、「石渠宝笈特別展」もその一つであった。『清明上河図』のような著名な書画作品が展示されて人々の注目を集めた。しかしこの注目の程度は、実際のところ、最初から私たちの予想を超えていた。

今まで、故宮博物院に入った後、人々は多くの不満を感じていた。そのうちの一つが、八〇%の人が入って来るなり、わき目もふれず前へと向かい、まず皇帝が座った場所を見て、さらに皇帝が寝た場所を見て、そして結婚式が行われた場所を見て、御花園を通り抜けて故宮博物院から出て行くというものだ。故宮博物院に入っても両側に展示があることを知らなかった、あるいは観覧するチャンスがなかった人が非常に多くいたのだが、「石渠宝笈特別展」がこうした状況を変えた。多くの人が故宮博物院に入っても前に進まず、西へと走ったのだ。それは、この展示のメイン会場が外朝西路にある武英殿だったためで、走る人が多くなればなるほど、走る速度も速くなった。こうした現象は後にネットで「故宮跑（故宮走）」と呼ばれるようになった。

私も行って見てみると、確かに多くの人が走っていた。ある高齢者が武英殿書画館の前で私に、「故宮博物院はどうして運動会みたいな展覧会を開き、人を走らせるんだ?」と言った。彼はもう七十歳で、朝一番に来て並んでチケットを買ったのに、開館後にみんなが走るので、遅れてしまい、真っ先に入場することができなかったという。

この言葉をもっともだと思った私は、その日の昼にすぐに会議を開いて、「運動会」をもっと良くするためにはどうしたらよいかを検討した。そして夜を徹して二十個のプラカードと百個のバッジをつくり、翌朝七時にならないうちにプラカードを広場に立て、先に来た人から第一グループ、第二グループとグループ分けして、「石渠宝笈特別展」の開幕式を行った。開幕式の後が入場式で、八時よりも三十分も前に開館し、その後、第一グループ、第二グループと順番に入場させた。老人も子どももプラカードとともに展示室に向かい、誰も走る必要がなくなった。全世界の博物館の中でも展覧の際に入場式を行ったのは、故宮博物院だけだそうだ。

このような方法をとったものの、展覧を見に来る人は確かに多かった。この展覧はのべ十七万人が来場し、毎日数千人ほどが行列し、平均で一人当たり六時間行列したことになる。しかしどれだけ待ち時間が長くても、みんな一目でも展覧、特に『清明上河図』を見ようと頑張った。そこで、われわれは最後の一人が見終わるまで閉館しないと約束した。ある日、夜の八時に様子を見に行くと、まだとても長い行列ができていて、並んでいる人に疲れないかと聞くと、みんな口ぐちに「疲れても頑張ります！　でも、故宮博物院は夜には水を売っていないので、喉が渇いたらどうしよう？」と言った。そこでわれわれはすぐに厨房でお湯を沸かすように頼み、二千五百杯のお茶を淹れ、並んでいる人たちが飲めるようにした。夜の十二時になったとき、私は行列を見に行き、「どう？お茶は飲んだ？」と聞くと、彼らは「お茶は飲んだけど、今度はお腹がすいたよ」と答えた。そこで、われわれはすぐに八百個のインスタントラーメンを取り出した。インスタントラーメンを食べ終わると、みんな続けて並んで待ったが、後に世界の博物館で展覧の際に無料でインスタントラーメンを提供したのは故宮博物院だけだと人が言っているのを聞いた。

早朝四時、最後の一組が展覧を見終えて、家族で記念写真を撮ってから、ご機嫌で帰って行った。最後の一組が故宮博物院を離れるとき、もう空は明るくなっていた。私がとても好きな写真は、その時最後に見終わった人たちを武英殿の外で撮影したもので、東の空がうっすらと明るくなり、みんな満足そうな笑みを浮かべていた。

さらに人を感動させ、私も誇りに思ったことは、この時の展覧のために行列した七〇％の人が世

「石渠宝笈特別展」の観覧秩序（二〇一五年九月）

界各地からやって来た学生であったことだ。彼らの長い行列時間を無駄にさせないよう、私は展覧を企画した専門家やボランティアに彼らに展覧の説明をしてもらった。さらに、当時作っていた展覧説明用のQRコードも大きな役割を果たし、スマホのリンクから展示室に展示されているどの収蔵品の情報も確認できるため、このような行列待ちの時間もさほど退屈ではなくなった。同時にこの時の展覧を書籍や雑誌にして、さらにオリジナルグッズも発売して、注目を浴びた。

「石渠宝笈特別展」からわれわれが得た収穫はとても多かったといえる。今まで、故宮博物院が開催した展覧は、十メートルでも二十メートルでも行列ができれば長い行列といえ、今回のような強烈な反応は思いもよらず、展覧を見るための行列は太和門広場までずっと続き、最も多い時には数千人にも達し、列は数百メートルにわたって続いた。人々のこうした情熱はわれわれの予想外だったといえる。これは美しい文化的風景だとロマンチックに言う人もいたが、行列をつくる人の身になってみれば、単なる長い待ち時間に過ぎない。こんなに長い行列をつくり、辛抱強く待ってくれる人がいるということに、われわれは心から感激した。そこから人々の伝統文化に対する情熱や文化財のもつ意義への理解を知ることができ、とても満足を得ることができたのだ。

二〇一七年九月十五日、午門雁翅楼展示室で「千里江山——歴代青緑山水画特別展」が開催され、北宋の王希孟の『千里江山図』を中心に、系統的に中国の歴代青緑山水画の発展の道筋を整理し展示した。

この展覧では、初めて院が収蔵する青緑山水画の傑作が集中的に展示された。中国の山水画は単純に目の前の山河のイメージを表現しただけでなく、さらには広大無辺の理想の世界を描き上げたものであることは広く知られている。山水画のもつ精神性を十分に表現するため、この時の展覧では山水画創作の技法や構造を展覧企画の中に溶け込ませ、展覧全体が一幅の「青緑山水画」となるよう努力した。

この展覧には重要な文化的意義がある。なぜなら、青緑山水は中国の山水画の重要な種類であるものの、元およびそれ以降は文人画が迅速に発展し、画壇の主流となったため、われわれはふつう、中国の山水画といえば水墨山水であるという印象をもっていて、青緑山水画の絵画史上の地位と価値を軽視しているからだ。

中国の青緑山水画の発展の道を系統的に展示することは、山水画の概念、そして中国芸術の精神世界を全面的に理解する助けとなる。そして、故宮博物院は展子虔の『遊春図』、王希孟の『千里江山図』、宋人の『江山秋色図』、趙伯驌《しゅく》の『万松金闕《けつ》図』などの重要な作品を収蔵しており、青緑山水画のコレクションにおける際立った優位性をもっている。この展覧により、故宮博物院の収蔵品の重要性を人々は直接的・具体的に認識できるだろう。それ以外にも、故宮博物院は全面的な文化財整理を経て、社会にすべての収蔵品目録を公表した。「青緑山水」のような特別展示は、こうした系統的な整理の成果の具体的な体現であるといえ、故宮博物院の収蔵品の整理・研究の現実的な意義を反映したものともいえる。

当然、この時の展覧の目玉となったのは、北宋・王希孟の『千里江山図』だ。

『千里江山図』は九百年余り前、わずか十八歳の天才画家王希孟が、北宋の皇帝徽宗のために創作した青緑山水画である。彼は半年もかけずにこの幅十一・九メートルもある絵巻を描き上げ、気勢溢れる千里江山の景色を表現し、同時に理想的な生活環境における生活の気配を細やかに描き出し、中国の最も著名な山水画の一つとなった。通常「紙の寿命は千年、絹は八百年」と言われる。しかしこの絵はすでに千年近く経っているにもかかわらず、いまだ色彩は鮮やかで、それは使われているのがすべて鉱物質の顔料であり、退色しなかったからだ。芸術的な価値以外にも、『千里江山図』は中国古代建築研究の重要な史料ともされる。一九七九年、傅《ふ》熹年先生が『千里江山図』に描かれた建築を文献と比較・対照し、さまざまなタイプの建築の図面と細部の施工法を復元して、北宋時代の都市・農村建築や橋梁の特徴を総括した。この青山緑水の中でコントラストをなす漁村や市場、あずまやや橋などは、まさに古代中国人が理想とする世界を反映していると言ってよいだろう。

　実際には二十一世紀に入ってから、この『千里江山図』は三度故宮博物院で展示されていて、以前の二回は武英殿書画館で展示された。私の先生である呉良鏞《よう》教授はこの絵をとても好み、そのために展示のたびに私は彼に付き添って見に行っていた。当初、『千里江山図』が展示されても見に来る人は多くなく、長い行列もなかったが、今回は『千里江山図』が展示されると、多くの情熱的な観衆がやって来て、長い行列ができ、数時間待たなければ見れなくなった。快適に展覧を見てもらい、行列の時間を減らすため、故宮博物院は『千里江山図』が展示されている午門正殿展示室で整理番号を発行し、時間を割り振って観覧してもらう措置をとった。毎日無料で十六のタイムゾーンの整理番号を発行し、三十分ごとにそのタイムゾーンの百五十人の観覧者が午門正殿の展示室に入るというもので、整理番号の発行場所は特別展示入口で、その番号があれば午門正殿展示室に限って観覧できた。

　この措置と展覧初期からすでに実行されていた入場制限により、時間と空間からこの展覧のコン

武英殿四僧書画展

安徽の職人の絶技

トロールが行われることになり、よい効果を収めた。朝八時半、午門から観覧者が入って来た後、一部はすぐに特別展の入り口までやって来た。故宮の係員が最初の百五十人を展示区域に入れ、そのほかの人は順番に一日のそのほかのタイムゾーンの整理番号を受け取って、入口の脇には現在の観覧タイムゾーンと整理番号が掲示された。『千里江山図』を並んでまで見たいと思わなければ、午門の東西の雁翅楼のそのほかの展示品を見ればよく、整理番号受け取りのために並ばずに展示区域に入ることができた。

こうした一連の措置をとった後、午門展示区域入口には一日中長い行列ができることがなく、ただ午門正殿の展示室に数十人の行列ができるだけで、平均して三十分ほどの待ち時間で『千里江山図』を見ることができ、そのほかの展示品を見るためにはまったく行列する必要はなくなった。整理番号発行やタイムゾーン設置の措置にはいくつかの利点があった。一つは、人々の待ち時間を大幅に減らし、番号を受け取れば故宮博物院のほかの素晴らしい展覧を自由に見たり、休んで食事をしたりできるようになったこと。二つ目はより多くの人が雁翅楼に登り、多くの貴重な書画展示を見るようになったこと。三つ目は観覧秩序が向上し、見る側の気持ちも、長い行列の退屈さから開放され、より愉快になり、展示室の観覧ムード自体が良くなったことだ。このためわれわれも、展覧のために盲目的に行列し、一つの作品にひたすら注目するだけで、その他の貴重な書画作品を見損なうことのないよう呼びかけるようになった。

二〇一五年の「石渠宝笈《せっきょほうきゅう》特別展」と同じように、「千里江山——歴代青緑山水画特別展」を観覧した人も、三十歳以下が七割ほどを占めていた。われわれは若者が祖国の素晴らしい文化に興味をもち、博物館文化がすでに若者の文化生活の一部になっていることを喜んだ。

もしかしたら、今まで多くの人が『石渠宝笈』も『千里江山』も知らなかったかもしれないが、今ではほとんどすべての人がこうした「流行語」を知るようになり、こうした展覧は、博物館の展覧に極めて大きな影響を与えることにもなった。

近年われわれは、故宮に入った後にもっと多くの展覧を見たいという人々の願いを、確かに一歩一歩実現しつつある。二〇一七年の国慶節期間中を例にとると、珍宝館、時計館、陶磁器館などの常設展示に多くの観衆を引き付けたほか、ここ二年に新しく開放された慈寧宮彫塑館に十八万三千人、寿康宮原状陳列および特別展示を十二万六千人が観覧した。それと同時に午門正殿と東西雁翅楼で展示された「千里江山——歴代青緑山水画特別展」には十二万六千人が来場し、その中で二万三千人が整理券を受け取って午門正殿内で展示された『千里江山図』を観覧した。武英殿で展示された「趙孟頫書画特別展」には三万五千人が来場し、神武門城楼で展示された「エリザベート妃とハンガリー——十七~十九世紀ハンガリー貴族の生活展」は来場者数が最多で、二十一万三千人に達し、その大きな理由は、神武門両側の城壁が初めて開放されたことにある。永寿宮と慈寧宮の庭園で展示が行われた「天禄永昌——故宮博物院所蔵瑞鹿文物特別展」はそれぞれ十万六千人と九万千人の来場者があり、斎宮で展示された「明代御窯磁器——景徳鎮御窯遺跡出土品と故宮博物院所蔵伝世弘治・正徳磁器対比展」は九万五千人の来場者があった。これらの展示だけで国慶節期間中、百万人ほどの人が観覧にやって来たのだ。

故宮博物院の陳列展示が同時にこんなにも多くの人に見てもらえるとは、今までだったら想像もできない状況といえる。これらの展覧は故宮文化と故宮博物院の特色を際立て、社会に大いに反響を呼んだ。

同時に展示会場がおもに東や西の部分にあったため、中軸線へ人が集まる圧力が減り、故宮博物院に入った後、わき目もふらずに前へ向かうという状況を変えることになった。

故宮博物院は開放拡大と展覧サービスにおいて大きな進展を得ていたものの、故宮博物院の文化資源の展示はまだまだ不足している。現在、故宮博物院の展示室はおもに故宮の古建築を利用しているため、展示空間と条件に制約があり、展示される文化財は約三万点で、故宮博物院の収蔵品の二%に過ぎず、社会一般に故宮博物院の貴重な収蔵品の全体像を展示して見せることはまったく不可能だ。同時に、文化財や建築の特性に制約され、収蔵品のメンテナンスや修復作業にはいまだ大きな困難がある。

このため、新たな発展空間を求め、故宮文化遺産の安全を確保することが、故宮博物院の避けることができない責任と使命となったのだ。

ここ二年ほど、故宮博物院は第一期・第二期地下文化財倉庫の拡張工事を行っていて、それが完成すれば、故宮博物院の百十万点ほどの文化財は種別・ランク別に倉庫にしまわれ、それぞれふさわしい温度・湿度が保たれ、中でも二十万点近い現在地上の古建築内にある文化財を収納することができる。

現在、故宮博物院では、一部の地上倉庫をシステマチックに開放し、倉庫収納式展示室とし、より多くの収蔵品を展示する計画が進められている。例えばまず南大庫を開放した。この地上倉庫は規模がとても大きく、長さは百五十六メートルある。そのため、われわれは南大庫に徹底的な整備を行う決心をし、ここに故宮博物院家具館を設立した。今では家具館の内部を観覧した人たちは興味深げに家具に見入っていて、われわれはそれに喜びを感じる。故宮博物院は続けてより多くの倉庫を開いて収蔵品に収納式陳列を行うことにした。例えば、書籍版木の収納式陳列館、古建築部材の収納式陳列館、陶磁器の収納式陳列館、車馬轎輿（かごとこし）収納式陳列館、中和韶楽の収納式陳列館などは、毎年展示される収蔵品を倍増させていて、観覧者は故宮博物院でより多くの収穫を得ることができるようになった。収納式陳列展示は大量の収蔵品の保管状況を改善できるばかりか、こうした収蔵品を展示品とし、より多くの貴重な文化財が人々の目の前に展示されることになり、例えば現在準備中の古書籍版木の収納式陳列館は、二十四万枚の貴重な書籍版木を保護しながら展示するものとなっている。

現在準備中の故宮博物院北院区が完成した暁には、院が収蔵する大量の大型貴重文化財、例えば大型家具や大型じゅうたん、大型絵画、天子儀仗用品などが、場所の制約により、適時に大規模な科学的保護を行ったり、効果的に展示したりすることが不可能であったという長期的な問題が解決し、同時に伝統的な文化財の修復技術、すなわち無形文化遺産を人々に展示することにもなるだろう。これが完成すれば観覧者がみな故宮文化に魅了されることを私は確信する。

二〇二〇年に紫禁城建設六百周年を迎える頃には、毎年展示される文化財は十万点を超えるだろう。そして展示される収蔵品の割合についていえば、二〇一二年頃には故宮博物院の収蔵品のうち展示されているのはわずか一％に過ぎなかったが、二〇二〇年にはこの割合が八％くらいに上がり、二〇二五年には展示される収蔵品の割合が三〇％にまで向上することを願っている。故宮博物院にはわれわれの発見を待っている、はかりしれない文化資源があるのだ。

いかにして系統的に伝統文化資源を整理し、「紫禁城に収蔵されていた文物、広大な大地の上に陳列された遺産、古書の中に記された文字を活かすことができる」かを考え、そして、多くの方法で中国文化の独特の魅力を展示するように努めること、それが故宮博物院の努力の方向なのだ。

参

第三章

故宮博物院は教育機関であり、研究機関でもある

故宮の青少年教育活動はすべて無料である。なぜならわれわれは博物館で成長した青少年は、大人になってからも必ず中国の伝統文化を愛する世代、博物館文化に深い愛着を抱く世代になると固く信じているからだ。

陶磁器の専門家である耿《こう》宝昌先生はもう百歳近いのに、天気がいい日には毎日出勤してくる。故宮博物院の古くからの専門家たちは、一生を故宮学術研究に捧げ、故宮事業の発展の最も重要な支えとなっている。こうした専門家にはそのポストにとどまってもらえるように環境を整えるべきだ。彼らが研究領域で活躍し続けるにあたって、身辺に若い二、三人の若い学者をつけ、一緒に働いてもらうようにすれば、彼らの経験と知恵を伝承していくことができる。

麗しき風景――故宮のボランティアたち

故宮を観覧していると、珍宝館・時計館・書画館・陶磁器館など、どの展示室にも、みな証明書を身につけたお揃いのユニフォームの人たちがいて、観覧客に熱心に解説しているのを見かけることだろう。彼らはいつでも熱心に聞き入る観客に取り巻かれている。これらの人たちは故宮博物院の愛すべきボランティアである。彼らは故宮の一つの風景といえ、故宮の宣伝・教育業務の旗印ともなっている。ボランティアは各業界出身の年齢もさまざまな人たちから構成され、そのサービス内容は説明だったり、インフォメーションだったり、教育プロジェクトや講演のスタッフだったりする。十年余りの実践と経験を経て、故宮ボランティアチームは極めて優秀なボランティア集団となっている。

二〇〇四年十二月五日、故宮博物院はボランティア公募の情報を初めて発表し、第一期ボランティアを募集した。当時受け取った履歴書は千五百通余りで、そのうち四百五十名の候補者と面接を行い、三百人ほどが育成訓練試験に合格して、最終的に故宮博物院の第一期ボランティアとなった。二〇一八年末までにボランティア登録をした人はのべ三千人近くに達し、累計サービス提供時間は十三万時間、利用者数はのべ六十万人近くに達している。

最初、故宮ボランティアは故宮博物院の常設専門館の展覧ガイドに始まり、今では解説区域はすでに時計館、珍宝館、石鼓館、戯曲館、青銅器館、陶磁器館、書画館など十の展示室に及んでいて、さらに清帝大婚展、延禧宮陶磁器特別展、蘭亭特別展などの展覧における解説業務も担っている。このほか、故宮ボランティアは故宮博物院の来客接待と新職員向け解説業務研修なども担っていて、来院者インフォメーション、臨時展覧の解説、来院者へのアンケート調査、大衆教育プログラムの研究開発と実施などの故宮博物院が行う文化遺産宣伝・保護活動にも参与している。

故宮ボランティアは国際博物館デーや中国文化遺産デーなどの記念日におけるテーマ宣伝活動に積極的に参加し、ゴールデンウィークなどの人出のピーク時にはインフォメーションサービス活動も行っている。例えば五月十八日の国際博物館デーには、ボランティアたちが来院者に故宮のマークと「ノースモーキング故宮」という宣伝スローガンの入った色付きの腕輪を渡し、やって来た人にライターなどの発火装置を携帯して入らないように告知し、観覧の過程でマナー違反の行為をしないよう呼びかけている。太和門のインフォメーションセンターでは、ボランティアたちは同じ服装をして、辛抱づよく人々の疑問に答えていて、積極的に観覧マナーを守るよう訴え、「平安故宮」の理念を宣伝し、来院者に故宮知識Q＆Aカードを渡し、しおりなどの記念品をプレゼントしている。

故宮ボランティアはさらに積極的に故宮博物院から飛び出し、故宮文化を伝え、広めようとしている。二〇一二年五月の国際博物館デーには、「故宮文化」ボランティアガイドチームが正式に成立した。チーム員はすべて故宮ボランティアで、彼らは故宮博物院展示室内の解説をコミュニティの中に持ち込み、展示室展覧という空間の制約を打ち破り、ボランティアサービスの範囲を拡大させた。宣伝教育部の協力のもと、ボランティアの先生方は故宮博物院の歴史沿革・古代建築・所蔵文化財・陳列展示などの内容か

五月十八日博物館デーに開かれた故宮博物院の一連のイベント（二〇一二年五月十八日）

ら二十のテーマを選び、それぞれ二十分程度のガイドを行った。これと同時に故宮ボランティアは学校教育にも参加している。例えば二〇一二年九月～十二月、故宮ボランティアは北京市第十五高校一年の十一クラスで毎月最後の一コマの歴史の授業を受け持ち、その授業内容は念入りに準備した「故宮文化」に関する物語である。高校生たちは分かりやすく親しみやすい歴史物語を通して、深くて広い故宮文化の内容を理解し、素晴らしい効果をあげた。

故宮ボランティアはさらに、外国籍ボランティアを含む新たなボランティアの募集・研修・各種審査の責任も担っている。外国籍ボランティアの言語種は多岐にわたり、そのために外国籍ボランティアへの連絡・面接・研修のすべての過程にボランティアが参与し、担う必要がある。例えば、故宮ボランティアの陳文青さんは海外留学経験だけでなく、故宮博物院ボランティアサービスの豊富な経歴をもっていて、外国籍ボランティアの募集と育成プログラムにおいてとても重要な役割を果たしている。

故宮博物院は博物館であるだけでなく、世界文化遺産で、さらには著名な観光地であるという多重的性格

五月の連休中に働くボランティア（二〇一四年五月二日）

をもち、文化的に極めて特殊な位置に置かれているため、故宮博物院にやって来る人も多様で、その需要も多岐にわたり、ボランティアサービスにより各界観衆の異なる文化的需要を満たす必要がある。

故宮ボランティアチームは成立以来、故宮博物院の文化遺産保護と開放サービスに多くの提案をしてきてくれた。同様に故宮博物院もまた、故宮ボランティアの声をとても重視していて、二〇一二年から行われている「故宮人が最も好きな文化財」選出活動や、ここ数年故宮博物院で開かれている幾度にもわたるメディア報告会では、いつも故宮ボランティアの参加を要請し、ボランティアの先生方の意見を聞き、その意見をもとに積極的な改善を行い、よい成果を得ている。

二〇〇七年十二月、故宮ボランティアの推薦のもとで、第一回故宮ボランティア委員会が成立した。故宮ボランティア委員会は、主任委員一名、秘書委員一名、委員五名の七人からなる。主な職責は全面的に「故宮ボランティアサービス規定」を執行し、宣伝教育部の指導のもとでボランティアに対する業務研修を開催して、ボランティアの相互学習や交流活動を行うことだ。さらに、ボランティアサービスが行われる専門館の展示品や関連文化財の解説原稿を編纂し、宣伝教育部を助けて故宮ボランティアの日常管理業務を行う。

解説のレベルを絶えず向上させ、専門知識を強化するため、故宮ボランティアはさらに育成・審査メカニズムを打ち立て、毎年定期的に業務学習会を開き、「故宮ボランティアガイドコンクール」を開いて、相互交流と学習を行っている。

故宮博物院のボランティアは少なくとも毎週一回、観覧者への解説サービスを行うことが求められている。故宮ボランティアチームは全国の博物館ボランティアチームの中でも最も規範的で、メンバーの出入りが少なく安定し、構造が合理的なボランティアチームの一つだといえる。故宮ボランティアは故宮という文化遺産に熱い情熱を抱き、大衆サービスに真摯に取り組み、全力でボランティアサービスに努めていて、故宮博物院の公共サービス事業に無私の奉献を行っている。

二〇一七年、故宮ボランティアチームは二百二十人に達した。二百二十人でも博物館ボランティアの中では特に大きいチームというわけではないが、故宮博物院のボランティアサービスは一貫してサービスの質を追求している。二〇一七年、二百二十人のボランティアの先生方の多くが毎年のボランティア活動時間が少なくとも七十二時間という条件を受け入れ、専門館を含む院内および特別展示のガイドを提供し、テーマデーのガイドやインフォメーション、コミュニティや学校での故宮文化についての講演、教育活動プロジェクトなどのさまざまなサービスを行い、活動時間は累計で一万四千七百二十二・五時間に達し、のべ八万八千百四十二人がそのサービスを受け、近年における最高記録をつくった。

ここ数年、故宮ボランティアサービスの発展と変化を私は実感している。故宮博物院の開放環境は比較的特殊であり、展示空間はすべて古建築で、屋外の開放区域が特に大きく、ボランティアの先生方はサービスの最中にたくさんの区域を通り抜けなければならない。例えば珍宝館のある寧寿宮区域の面積は四万八千平方メートルで、最多の時には九つの展示室で四百点余りの文化財を展示していて、季節の変化の中で、しばしば極寒酷暑にも耐えなければならない。このため、私が普段展示室で見かけるボランティアの先生方は、みなとても動きやすい簡素な服を着て、平底靴を履き、その存在が目立つように、黄色いベストを着ているときが多い。

実際、故宮ボランティアの先生方はマルチタイプの実力派ばかりだ。この点はわれわれが毎年開いているボランティア総括大会にはっきりと現れている。

故宮ボランティアの先生方はさまざまな業界の出身者であり、例えば『千里江山図』の解説を担当していた王建南先生は大学教授で、皆勤賞を受けた王強輝先生は外国企業の幹部で、詩の朗読をした王世玲先生はテレビ局のプロのアナウンサーだ。みんな忙しい中時間をつくってボランティア

故宮博物院ボランティア募集のための面接（二〇一七年四月二十八日）

サービスに参加し、故宮博物院への深い愛情を示してくれている。鄭立清先生の退職前の職場は高エネルギー物理研究所で、定年後の二〇〇四年に故宮博物院の第一期ボランティアとなった。馬亮先生は北京鉄道局京蔵（北京‐チベット）車両隊で働いていて、二〇〇四年に故宮博物院の第一期ボランティアになって以来、多々の困難を克服し、ずっと働き続けている。故宮ボランティアの先生方は多くがボランティアの仕事をしっかり行うと同時に、故宮ボランティアチームのために積極的な貢献を行っている。蘇力先生は故宮博物院の第一期ボランティアで、故宮ボランティアチームの組織業務を担当していて、それに多くの精力を傾けている。王輝先生は第二期ボランティアで、故宮ボランティア解説チームに参加したこともあり、五月十八日の国際博物館デーの日に講義を担当し、その後コミュニティや学校で数十回にわたり、一般向けガイダンスを行っている。第一期ボランティアの王新華先生はいつも自分の医療関係の経験と調理技術でみんなのために奉仕している。

集会が開かれるたび、ボランティアの先生方の幾人かが舞台に上り、それぞれの特技を舞台の上で見せてくれる。みんなが自分の所属する専門展示館をわが「陣営」とし、同じ舞台の上で技を競い、才能や特技を披露する。ボランティアたちがガイドする文化財はすべて専門館の人たちがよく知る古典的展示品で、飽きさせることなくとうとうと語り、とても新鮮味を覚える。この才能・技芸の披露はみんなを喜ばせる歌や詩の朗読、優雅な昆曲や管弦楽、そしてとても斬新な砂絵やライトペインティングなどだ。同時に毎回集会のときには、故宮博物院のボランティアサービスに優れた大きな貢献をしたボランティアの先生の表彰が行われ、「ボランティアサービス満千時間」「優秀ボランティアサービス」「定時皆勤賞」の三つの賞の受賞者の選出が行われ、三十六人のボランティアの先生方が賞を受け取った。中でも「定時皆勤」はとても貴重で、ボランティアの先生方は一年中毎週ずっと、決められた時間・決められた職場で、観覧者のために解説や案内を提供しなくてはならない。この賞の獲得者の一人、厳宝生先生は故宮博物院でのボランティア歴十三年のベテランで、ガイドサービス時間は累計千二百四十時間にも達する。五十二歳の「最も美しいボランティア」霍慢憶先生は、故宮ボランティアとして解説サービスを十年も続けていて、累計六百五十六回、千九百三十二時間のサービスを行っている。

過去数年、私は何度もボランティアチームの年末総括大会に出席し、多くのボランティアの先生方と仲良くなった。毎年私は多くのお馴染みの顔を見かけるし、これと同時に新しく参加した人にも会える。二〇一七年の大会のとき、私は「ゲスト」として紹介されたが、私はこの紹介に不満だった。私はいつも自分のことを故宮博物院の門番だと思っていて、実際私も故宮博物院の一人の解説員であり、宣伝や解説の大変さも楽しさもよく知っているからだ。

二〇一五年、故宮博物院九十周年のお祝いとして、『故宮人』全体の写真集を出版し、そこに当時故宮博物院にいた仲間たちの写真や資料を収録し、その中で故宮のボランティアについて述べた章を設けた。

二〇一七年末に『国家宝蔵』第一シリーズの故宮の回が放送されたが、当時この『国家宝蔵』番組は、故宮博物院に「故宮秘蔵の宝物」と「宝物を守る人」を紹介してくれるよう頼んで来た。私は故宮ボランティアにこの「宝物を守る人」という役割を果たしてもらうのがふさわしいと思った。このため、故宮博物院は故宮ボランティアに「宝物を守る人」の代表として中央テレビ局の舞台に立ってもらい、全国ないしは全世界の人たちに故宮が守っている秘蔵品を紹介した。後にボランティアの代表たちが出演したことで、観衆からの好評を博し、理想的な効果が得られたことが分かった。

故宮ボランティアがこのように素晴らしい成果を収めたのは、故宮ボランティアという大家族全員の努力のたまもので、すべてのボランティアの先生方の熱意と貢献、自己管理のみならず、故宮博物院の各部署、特に宣伝教育部の同僚たちの真面目な仕事の結果であり、同様にボランティアの先生方のご家族の大きな支持、一般大衆の励ましや理解、そしてメディアの友人方の熱い注目とも切り離すことができない。観覧者と故宮博物院を結びつける結節点、架け橋として、故宮ボランティアたちはとても素敵で、職務に忠実で、任に堪えうるチームであり、彼らは故宮博物院の名刺とも、鏡ともなっているのだ。

二〇一八年、われわれはボランティアサービスの分野をさらに拡大させた。当時、故宮文化財病院は三年の準備期間、一年余りの試験運営を経ていて、さまざまな業務準備が初期段階にあり、多くの文化財・博物館界の専門家や重要な外国からの賓客を受け入れていた。われわれはどうやって人々に故宮文化財病院を見学してもらい、故宮の文化財修復作業を知ってもらうかについて模索していた。見学の際、文化財の医師たちの日常業務に影響を与えず、また間近に文化財修理を見て、質の高い見学をしてもらうため、われわれは研究ののち、故宮文化財病院の開放時間と見学者数を制限し、同時に一般からボランティアを募ることにした。その目的は、文化財修復師たちの日常業務の邪魔にならない範囲で間近に文化財修理を見て、満足できる説明を受けてもらうためで、それにより博物館の文化展示をより多元的にし、より深く観覧者に歩み寄り、観覧者と分かち合おうとするものだ。

二〇一八年三月十五日、故宮博物院の公式ホームページ、公式ミニブログ（微博、中国版ツイッター）、「故宮宣伝教育」ウィーチャット（微信、中国版ＬＩＮＥ）公式アカウントで同時にボランティア募集を発表し、合計で八百七十一通の有効な履歴書を受け取った。応募者の年齢・性別・職業・学歴は多様で、中でも若い世代や女性、大学生や院生、現役で活躍中の在職者が多かった。故宮文化財病院履歴書選考チームが発足し、多方面から履歴書による審査が行われ、厳格な一次審査により七十五通の履歴書が合格となり、面接試験が行われた。

二〇一八年四月十六日午後と十七日午前、故宮文化財病院の第一期ボランティア募集と研修活動が始まり、面接通知を受け取ったのが七十五名、実際に面接を受けたのは七十三人だった。故宮文化財病院では五グループの面接席を設け、一グループにつき三人の面接員を用意した。一次面接では、応募者は各自六分以内で自分の好きな文化財を一つ選び、三分以内でその文化財を紹介し、その表現や説明の仕方、訴求力などを観察した。そのほかに質問回答試験も行い、応募者の年齢によって二十〜三十、三十〜五十、五十歳以上という三つのグループに分けて問題を設定し、応募者の態度や性格、身体状況、表現能力、論理的思考力、時間配分、文化財・博物館業務に対する認識や興味などの要素を観察して、応募者に対する総合評価をつけ、五つのグループからそれぞれ上位七名を選び、計三十五名に二次面接を行うこととした。四月十七日午後に二次面接対象者への通知がなされた。

二次面接も五つのグループに分けて行われた。そこでは応募者が五分以内で『清明上河図』の解説を行い、その後短い物語をさっと読んで、その場で説明するというもので、その説明の知識性・趣味性・情報把握能力・言語化能力という四つの方面から評価が行われた。続いて応募者は自分の具体的な状況に基づく質問を受けた。最後に項目ごとに点数をつけて順位を決め、上位二十五人が事前研修を受けた。研修の際、これらのボランティアの興味や学科専攻に基づき、ABCの三つのチームに分け、故宮文化財病院の三つの建築機能ゾーン別研修を行ってボランティアたちの配置場所を決め、現場の模擬訓練を経た後に正式にその業務についた。これらのボランティアは厳しい選抜を経て、誰もがとても高い素養をもち、教師や大学院生を主とし、さらにはテレビ局や放送局のキャスターもいた。彼らは際立った能力をもち、人柄も素晴らしく、情熱に溢れていた。

一カ月の研修を経て、二種類の試験の成績を総合評価して、十八人が故宮文化財病院の准ボランティアに選ばれた。「故宮文化財病院ボランティア」になるのは名門大学に入学するよりも難しいと言ってもいいだろう。私も二次面接に参加したが、とても印象深かった。面接はとても難しく、北京テレビはこの時の募集面接の報道の際、「その形式と難しさは芸術類入試（訳注：芸術系大学に入るための入試で、難しいことで有名）と同じ」と報じた。

二〇一八年六月九日はちょうど「文化・自然遺産デー」にあたり、故宮ボランティアにとって非常に大切な日だった。故宮文化財病院が第一回の四十名の予約見学者を迎え入れ、故宮文化財病院のボランティアが正式に活動を開始し、世界各地からの見学者に解説サービスを提供したのだ。同じ日、故宮博物院の太和門広場と各専門館入口に設けられたインフォメーションカウンターでは、故宮ボランティアが「鎮座」して、来院者のために疑問に答え、観覧ルートを計画し、ボランティア解説者の紹介を行っていた。観覧者はさらに故宮ボランティアとやりとりすることができ、景品つきのQ&Aイベントに参加して精美な故宮博物院グッズを獲得することもできた。専門館内では、いつもどおり観覧者への解説がボランティアによって行われていた。展示室の数々の素晴らしい文化財を前に、経験豊富な故宮ボランティアが流暢に説明し、観覧者と共に素晴らしい文化の旅をスタートさせたのだ。

子どもたちに故宮を知ってもらう

子どもたちは社会の未来であり、ずっと教育の「メインターゲット」でもあった。故宮は世界文化遺産で、中国で最も有名な博物館でもある。われわれはより多くの子どもたちに故宮について知ってもらうようにすべきだ。故宮を知ると、豊富な中国の歴史を知ることができるだけでなく、各種の美しい文化財を知り、そうした素晴らしい工芸と際立った技術を知ることもでき、さらに故宮がどうして「封建的な皇帝の宮殿」から「大衆のための博物館」になったのかを知り、故宮博物院がずっと受け継いできた「職人魂」を知り、「故宮人」たちが代々「初心を忘れず」に受け継いできた文化財保護精神を知ることができる。こうした意味から、故宮博物院は子どもたちにより多く教育を施すことが極めて必要なことだと考えている。

社会教育、特に青少年教育は、故宮博物院の仕事の重点とされている。青少年への宣伝・教育に対し、故宮博物院はずっと青少年の特徴に即した教育方法を模索しており、博物館が学校以外の第二の教室となるようにしている。二〇〇四年三月一日から、故宮博物院は全国に先立ち、小・中学生の集団無料見学とボランティア解説を始めた。毎週火曜日を学生団体無料の日とし、小・中学生や高校・大学生の団体を無料で受け入れ、見学してもらえるようにした。二〇〇六年からは小・中学生の休暇期間を利用して「故宮知識教室」というイベントを開催し、充実した内容、多様な形式、活発な雰囲気で子どもや保護者に喜ばれている。また、「国際博物館デー」や中国「文化と自然遺産デー」には、子どもたちに団体で故宮博物院を見学したり、各種イベントに参加してもらったりし、そのボランティアも引き受けている。さらに、北京故宮文物保護基金会と協力した「子どもたちよ、キミの『故宮の夢』を叶えよう」というプロジェクトで、辺鄙な山村の小学校での文化活動を行い、知識と体験を結合させた子どものための授業を行っている。青少年向けの「デジタル故宮」プロジェクトの研究開発により、動画やインタラクティブデザイン、若者向け故宮ホームページ、アプリなどの知らず知らずのうちに影響を受ける形式で、さまざまな社会グループに故宮文化の内容を知ってもらう、青少年向けキャラクターシリーズの文化製品を研究開発するなどしている。

故宮博物院はコミュニケーションの「架け橋」となり、豊富な内容と生きた校外学習という形で、優れた伝統文化を若者に理解・継承させようとしている。中でも二〇〇六年に正式に始まった「故

故宮教育センターの活動（二〇一六年十二月二十九日）

国際博物館デー「故宮の一時間」子どもテーマ活動

甘粛・青海の学生をもてなす（二〇一七年二月二十八日）

宜興博物館で開かれた「故宮知識教室」（二〇一七年一月十二日）

宮知識教室」と名付けられた大衆教育プロジェクトは、その気軽さ、活発さ、そして普及性・参与性の強さなどの長所のため、各種文化イベントの中での展開が容易で、人々にも喜ばれている。十数年もの間、何万にものぼる子どもたちが故宮博物院にやって来て、「故宮知識教室」に参加し、中国の伝統文化を体験した。例えば故宮の古建築と故宮博物院の収蔵品をもとに研究開発された「太和殿を仰ぎ見て、一緒に斗拱を見る」「軒下の素晴らしい装飾画」「巧みにつながるほぞとほぞ穴を探す」「布で磁器瓶をつくろう」「朝珠（礼服を着た時につける玉石を使った首飾り）DIY」「青花磁器の絵付け体験」「皇帝の新しい衣装」「宮廷の中の〝如意〟」などの活動を行い、展覧に基づいて研究開発された「煌びやかな衣装を描こう」「石鼓を訪ねる」「磁器片探し」「故宮の結婚式」「中国・インド仏教彫塑展教師工房」活動や、明清代の宮廷の歴史や文化に基づいて研究開発された「赤い灯籠づくり」「宮中での端午節」「福の字を書いて春を迎えよう」「乾隆帝印のゴム印作り」「八旗の甲冑を知ろう」などの活動を行って、知識の説明、現場での交流、実際の体験を融合させて、青少年や保護者の好評を得ている。

例えば「勝手気まま八旗人形」という布人形作りの活動は、八〜十二歳の子どもを対象としたものだ。まず八旗制度の起源や発展、その内容について説明し、京師八旗が清朝の安定を維持するための主な軍事力として守備・駐在した方角や編成などを教えた後に、布人形の材料パックを提供して、自らの手でそれを作ることで、創作意欲と自己表現を刺激するものだった。

さらに故宮博物院の社会教育機能を増強し、故宮博物院宣伝教育プログラムを広めるため、故宮博物院は二〇一六年末に故宮教育センターを設立した。このセンターは太和門広場西側、熙和門南北棟内にあり、面積は約八百平方メートルで、教育プロジェクト展示区、テーマ活動教室、作業区、ボランティア作業所など四つの異なる専門機能をもつ教室と補助空間からなっている。重要な大衆教育基地として、その意義は故宮博物院が現在もつ教育資源をしっかりと統合し、さまざまな年齢層に向けた教育や研修活動を行うためのもので、特に一年を通じて小・中学生やその家庭に対し各種の故宮的な特色をもつ内容豊富で多様な形式の特定専門教育を提供するために、便利で使いやすい場所となっている。同時に故宮博物院はより多くの空間を社会教育に用い、大教室を増やしたり、より多くのクラスを設けたりして、多くの子どもたちが故宮博物院に勉強しに来ることができるようにした。故宮博物院にはさらに独特な条件があって、それは数十ある庭園がとても安全で、春や夏、秋の天気の良い日には、多くの庭園が豊富多彩な活動場所となり、庭園や木陰などがすべて知識教室として利用できることだ。

ここ数年、故宮博物院の社会教育活動もまた、四川省成都市、吉林省長春市、貴州省卒節市、広東省東莞市、河北省秦皇島市などの多くの都市で展開された。それだけでなく、故宮博物院は大衆教育活動をしばしばマルタ・シンガポール・タイ・オーストラリアなどの外国でも行っていて、生きた知識解説と手工芸体験の授業は各国の若者に喜ばれている。例えば二〇一七年に故宮博物院は海外中国文化センターの要請により、タイのバンコクとオーストラリアのシドニーで十二回の教育活動を行い、そのテーマは「朝珠ＤＩＹ」「宮廷の中の〝如意〟」「色塗り龍袍」「折り紙龍袍」などで、三百五十人ほどの若者が参加し、大きな反響を呼んだ。

故宮博物院は文化・博物館分野における新しい動向を常に把握し、より優れた教育課程をつくりあげている。例えば近年、無形文化遺産がますます重視されるようになったため、故宮博物院は二〇一八年に拓本と木版印刷という二つの技術を選び、事前予約した数十名の小・中学生に無形文化遺産の技術体験授業を行った。拓本取りは、紙と墨と写し取り用具で、金属や石などの上に刻まれた文字や図案を写し取る伝統的な技法だ。拓本技術は中国の古い伝統技術であり、南北朝時代に始まり今にまで伝わるもので、貴重な文献資料がこうした拓本により完全に現在まで保存されてきた。拓本取り体験授業に参加した三十人の中学生は、拓本と拓本製作の長い歴史を知り、言葉では伝えるのが難しい拓本技術を体験して学び、自分だけのオリジナル拓本をつくった。拓本技術の基礎の上に発明された木版印刷は、刃物を使って木版の上に文字または図案を刻み、さらに墨、紙、絹などの材料を用いて印刷し、装丁して書籍にした一種の特殊技術で、二〇〇九年に正式にユネスコの無形文化遺産として登録された。木版印刷の体験授業の中で、十五組の小学生家庭が親子活動という形式で共に木版印刷の歴史を知り、自ら木版画を印刷して木版印刷の独特な魅力を感じ取った。こうした生きた授業は、実践的技術を学ぶだけでなく、われわれの無形伝統文化についてより深く知ることができる。

故宮教育センターがスタートした

私はずっと、生きる中で本当に重要なこととは、あなたが何に遭遇するかではなく、何を覚えているかであり、またどのようにしっかりと記憶するかであると言い続けてきた。私が小さい頃、両親が故宮博物院へ連れて行ってくれたことがある。その時のことは今でもありありと覚えていて、生活の中で永遠に残る貴重な記憶となっている。ここ数年、五月十八日の国際博物館デーに行われた親子教育活動に参加し、満員の「故宮知識教室」で、玉石をつなげたり、龍袍を描いたり、皿の絵付けをしたり、粽を作ったりする青少年たちを見るたびに、こうした自分が参加できる教育活動は、彼らを小さい頃から中華の伝統文化になじませ、知らず知らずのうちに彼らの未来に影響を与えていくのだと感じている。絵画を学ぶのも、書道を習うのも、工作をするのも、すべてが故宮博物院への親しみを育んでくれることだろう。こうした青少年は成長した後、必ずや故宮文化の積極的な伝播者となり、故宮事業の発展の確かな支持者となり、故宮の大衆サービスのボランティアとなり、故宮博物院の未来となるだろう。

故宮博物院と北京故宮文物保護基金が協力して行った「子どもたちよ、キミの『故宮の夢』を叶えよう」は、二〇一二年のスタート以来、貴州省の卒節市威寧県、黔《けん》西南プイ族ミャオ族自治貞豊州、銅仁市万山区などの地域で行われ、現地の小学校

故宮児童文化・クリエイティブグッズ店の設立

十校を訪れ、公益教育授業を数十回行い、書籍六千五百冊余りを寄贈し、参加児童数はのべ二千五百人で、極めて良い社会効果を得た。数年をかけた発展と蓄積の結果、このプロジェクトは「夢を叶える」活動に拡張され、貴州省の農村部の小学生に故宮を理解し、故宮に歩み入り、歴史を学び、文化を感じ取るチャンスを提供し、伝統文化をさまざまな方法によって広め、情報化時代においても伝承と発揚を続け、本当の意味で子どもたちの「故宮の夢」を叶えようとしている。

故宮博物院は中国でも博物館のデジタル化が最も早く行われ、ニューメディア業務が初期の頃から行われていた博物館の一つである。われわれは故宮ホームページ、アプリ、そしてニューメディア上に、より多くの「青少年」向けコンテンツを設けることも忘れていない。

われわれは青少年向けの故宮ホームページをつくり、それをより活発なものとし、形式上でもコンテンツ上でも青少年の特徴を十分に考慮にいれている。情景と交互に表示される地図により今までの常識を覆した記事では、イメージ化された探求の中で故宮博物院の建築・展覧・収蔵品を感じ取るもので、全過程に一貫して各種のゲーム的要素が盛り込まれ、たくさん写真を使った分かりやすい文化テーマが設定されている。今どきの子どもたちはインターネットを使いこなすので、われわれもインターネットを通じて彼らにもっと故宮博物院に来てもらい、優れた中国の伝統文化を次世代に伝えたいと思っている。

故宮博物院は二〇一三年から一連のアプリを製作していて、今では十個の故宮アプリがあり、いずれも賞を受賞し、われわれは大いに励まされている。例えばアプリ「皇帝の一日」では、皇帝が何の本を読み、どんな科学技術器機を使い、何を食べ、どんな人と会ったかを知ることができ、とても面白いので、子どもたちにとても人気がある。

故宮文化の伝播は己の力だけではまったく足りず、そのため、故宮博物院は重要な文化機関と著名基金会・企業と多様な協力を行うことを重視している。例えば二〇一五年に故宮出版社は香港の趙広超先生の事務所と手を組み、故宮文化研究開発チームを設立した。故宮文化研究開発チームが行っている「小小紫禁城」という教育ワークショッププロジェクトは、すでに国内外の多くの小・中学校の義務教育課程で行われていて、皇帝の宮殿や建築、皇帝の人物や庭園、器物や装飾などのさまざまなテーマのエピソードを紹介するものだ。このワークショップはのべ五千回近く開催され、五万三千人以上が参加し、さらに学校や社会大衆に対するマルチメディア展覧を何度も開催され、総観覧者数はのべ十一万人を超えている。

故宮博物院と中国児童芸術劇院は戦略的協力協議を結んでいる。双方が締結した協力の初めての措置として、故宮博物院と中国児童劇場はそれぞれ続けて二回のチャリティー慰問公演を行った。午前中、故宮博物院は二百六十名あまりの希望小学校（貧困地区の子どもたちのために寄付によって建てられた学校）の子どもたちを迎え入れた。午後、中国児童芸術劇院チャリティー公演が北京に出稼ぎに来ている労働者の子女、低収入家庭、身よりのない子どもたちなどを対象に行われたが、これは日ごろ劇場に行くチャンスの少ない七百人余りの子どもたちを劇場に招待し、芸術の良さを知ってもらうためのものだ。

故宮博物院は今まさに独特な方法により、中華文明を子供たちの心の中に刻み込もうとしている。故宮の青少年教育活動はすべて無料で、それは博物館で成長してきた子どもは成長してからも、必ず中国の伝統文化を愛し、博物館文化を愛する世代になると信じているからだ。故宮博物院は世界で入場者数が最も多い博物館であり、より多くの社会教育活動を行うエネルギーをもち、豊富多彩な文化活動により故宮博物院を社会生活の中の文化のオアシスとするよう努力しなければならない。今後、われわれは続けてさまざまな故宮的特色と豊富な内容、多様な形式をもつ教育プロジェクトをつくりあげ、より深い内容をもつ親しみやすい文化体験を提供し、より全面的、立体的に故宮博物院の社会教育機能を発揮していきたいと思っている。

故宮博物院の教育活動に参加した後、子どもたちが故宮文化の独特な価値をしっかりと理解し、中国の優れた伝統文化の継承者となってくれることを願っている。今後の文化遺産保護・研究の責任と希望は、彼らに託されているのだ。

「故宮学」から「故宮研究院」まで

近代中国の博物館事業は一九〇五年に始まり、二十年後の一九二五年には故宮博物院は明清代の皇帝の宮殿を基礎に設立され、封建王朝の知られざる宮殿から大衆的博物館へと歴史的転換を遂げて、中国の博物館事業の発展の重要なシンボルとなった。故宮には中華民族数千年の文化的蓄積があり、奥深く、長い歴史をもつ。故宮博物院の設立により、皇室の秘蔵品は公共学術研究の対象となったのだ。

研究は博物館に不可欠の基本的職能の一つだ。故宮博物院設立当初、すでに学術研究は「多くの学者や専門家を集め、学術公開のための素地とする」必要があると明確に唱えられていて、一流の専門家や学者を集め、社会性・開放性という特徴を体現していた。一九五〇年代以降、唐蘭、羅福頤、陳万里、馮先銘、単士元、于倬《たく》雲、劉九庵、朱家溍《しん》、徐邦達などの国内外に名を知られた専門学者がここで活躍した。この時から故宮博物院は中国の学術研究の重要な場所ともなり、中国の博物館学の形成と発展の過程で重要な役割を果たし、明清の歴史と宮廷文化、中国芸術史、中国古代建築、文化財保護・鑑定などの分野で極めて重要で独特な地位を築き上げてきた。

新世紀に入ってから、故宮博物院の対外交流と協力はますますその歩みを早め、学術研究上でも次々と成果をあげ、多くの優れた人材を輩出するようになった。二〇〇三年十月、鄭欣淼先生は故宮および故宮博物院の認識や位置づけに立脚して「故宮学」の樹立を提起した。故宮学は故宮およびその豊富な収蔵物を研究対象とする学問で、その研究分野には紫禁城の宮殿建築群、収蔵文化財、宮廷歴史文化遺物、明清代の文書、清の宮殿の典籍、故宮博物院の歴史という六つの主要な方向があり、豊富で深い学科内容をもつものだ。

故宮の学術分野は広く、多くの学科にまたがり、その複雑さはほとんど総合大学の学科の種類と比較できるほどだ。故宮学は故宮を一つの文化全体として捉えるもので、古建築や所蔵文化財、歴史的遺物、そしてここにいた人々や発生した事件、すべてが切り離すことのできない文化の全体である。紫禁城はここ数百年の間、さまざまな変化はあっても、相対的には安定性をもち、中国の伝統的な主流文化を十分に体現するものであり、同時に多民族の文化が融合するという特徴をもつ。故宮学が研究する故宮文化は、皇室文化をはじめとする豊富で広い文化領域にまたがり、歴史、政治、建築、古物、文書、書籍、芸術、宗教、民俗、科学技術、博物館などの多くの自ら体系をなす学科が含まれている。

二〇〇五年、故宮博物院に「古陶磁器研究センター」と「古書画研究センター」が設立された。そのうち古陶磁器研究センターは二〇〇八年二月に正式に古陶磁器保護研究の国家文物局重点科学研究基地（故宮博物院）として正式に認可され、その研究対象は主に故宮博物院に収蔵されている三十六万七千点の古陶磁器類文化財と古窯跡から採取された六、七万点の古陶器の標本、清の宮殿に残されていた一万点余りの陶磁器標本、そして世界各地に収蔵されている中国古代陶磁器である。具体的な研究内容は、各時期のさまざまな産地の、タイプの異なる古陶磁器の製作原料、技術、構造、そしてその性質についての研究、古陶磁器の年代と窯、真偽についての研究、古陶磁器の科学的保管・修復・複製品製作などの技術研究だ。基地は人材が豊富で、古陶磁器のサンプルも豊富で、先進的機材をそなえ、古陶磁器を重点分野として難しい問題について総合的に研究する場所・機関となっている。

故宮研究院成立大会
（二〇一三年十月二十三日）

二〇一三年十月、故宮研究院が成立し、張忠培先生が故宮研究院の名誉院長となり、鄭欣淼先生が院長に就任した。故宮研究院は「学術の故宮」の創建を趣旨とし、故宮博物院と国内外の著名専門学者が研究協力や交流を行うためにつくられた総合的学術機関である。故宮研究院の成立は、故宮博物院の優れた学術的伝統を継承するだけでなく、博物館の発展理念の新思想を豊富に含み、故宮の学術の新構造計画に力を入れ、革新的な体制と柔軟なメカニズム、民主的でハイレベルな学術研究プラットフォームを構築し、故宮文化およびそれがもつ豊富な価値の研究を推し進め、高品質な総合研究成果を生み出すためのものである。故宮研究院は故宮博物院に在職する、あるいは退職した専門家を主体とし、積極的に国内外の著名専門家・学者を吸収し、短所を補い長所を採り入れ、共に開放的でハイレベルな学術プラットフォームを構築するものだ。多くの科学研究課題もまた計画にのっとって進められ、「走馬楼呉簡（一九九六年に湖南省長沙市走馬楼で発見された十万枚余りの三国時代の呉の木簡や竹簡）整理プロジェクト」「故宮博物院所蔵甲骨整理・研究プロジェクト」などは、すでに豊富な成果を得ている。

故宮研究院の傘下には、整理統合、拡張や補充などを経て、現在、合計二十八の研究機関があり、基本的に故宮学術の全体構造と機関を完全なものにしている。まず、研究室、故宮学研究所、考古学研究所の三つの公的機関があり、研究室は研究院の事務・連絡機関で、これにより二十余りの非公的組織の正常な運営を保障していて、新たな情勢のもとで新たな模索を行っている。そのほか、ポスドク科学研究ステーション、古文献研究所、明清宮廷歴史文書研究所、古建築研究所、宮廷戯曲研究所、明清宮廷制作技芸研究所、文博法治研究所、陶磁器研究所、書画研究所、チベット仏教文物研究所、宮廷園芸研究所、中国画法研究所、中外文化交流研究所、中国書法研究所、時計研究所、宮廷原状研究所、故宮文物南遷研究所、世界文明古国研究所、映画テレビ研究所、中医薬文化研究所、玉文化研究所、古書画鑑定収蔵研究所、文物保護科学技術研究所、知的所有権研究所、建築・計画研究所がある。

博物館をいかに組織し、大型学術研究機関にまで発展させるかが、新しい業務課題の一つだ。文化の蓄積と伝承を主な特色とする博物館において、大型研究機関を成立させることは、これまでの博物館の発展史上、前例のないことである。

故宮研究院の機関設立は行政による束縛を受けず、「非公的だが名前だけではない、プロジェクトを行って成果をあげる、計画を定めて実効を重んじる、特色あるブランドを打ち立てる」という特色をもつ。「科学研究プロジェクト制」が、故宮研究院の学術研究を行う基本モデルであり、すべての学術組織と実施はプロ

故宮文化財病院の開業式（二〇一六年十二月二十九日）

ジェクト制で実施されるものとし、各研究所の学術業務と活動はすべて本物の学術プロジェクトを目指し、設備配置と人員配置、業務推進、方法の模索はすべて一つひとつ具体的な国家の科学研究プロジェクトとして実施され、プロジェクトの段階を明確にし、成果を期待できるようにしている。

学術管理機関の再編により、故宮の学術研究活動は個人の次元から院全体の局面へとアップグレードし、力を合わせることで故宮の学術業務はより幅広い発展の可能性を得て、特に故宮研究院の組織機関づくりは知恵と物力と財力が集中する学術研究プラットフォームとなった。例えば明清宮廷製作技芸研究所は、フランス国立科学研究センター東アジア文化研究所、フランス・リモージュの琺瑯芸術博物館、フランス・ギメ東洋美術館、フランス・ルーブル宮殿実験室などの機関と二〇一六年三月に共同で「中国琺瑯芸術研究」課題チームを成立させた。課題が始まって以来、中国とフランスとの研究協力は順調に進み、両国の往来はどんどん強化されている。

近年、故宮博物院考古学研究所は、インド・ラパン歴史文化研究委員会、英国ダラム大学考古学科、アラブ首長国連邦、ウズベキスタンと共同で、インド、アラブ首長国連邦のラアス・アル＝ハイマ、ウズベキスタンにおいて考古学発掘作業における中国文物研究を行っている。数年の努力を経て、故宮博物院の考古学研究は基本的に海のシルクロードと陸のシルクロードの多面的研究を実現していて、故宮博物院の学問分野整備の主要業務の一つとなっており、故宮博物院の学術研究範囲を広げている。

研究視野が広がるにつれ、故宮研究院のチベット仏教文化財研究所では、四川・甘粛・青海・チベット、特に四川省西部とチベット地域で持続的・計画的な文化財調査を行うようになった。この調査活動は十年間に及び、一連の成果を得ている。二〇一三年から、われわれはチベット仏教文化財の保護・デジタル化作業を始めていて、七つのチベット仏教寺院の収蔵品と壁画のデジタル化作業を完成し、その中には著名なチベットのトゥルナン寺（通称ジョカン寺、中国名は大昭寺）のすべての文化財・壁画が含まれ、トゥルナン寺のデータベースづくりも支援している。これはチベットないしは全国で最も先進的なデータベースの一つで、トゥルナン寺の文化財保護はたちまち先進的なものとなった。われわれの仕事は今後のチベット仏教の文化財保護と研究に大きな影響を及ぼすことだろう。

さらには中医薬文化研究所がある。故宮博物院が収蔵する医学関係の文化財は三千件余りに及び、故宮博物院の収蔵品の中でも重要かつ特色に富んだ種類のもので、清の宮中の医療活動の実物証拠・文字文献であり、貴重な文化遺産で、他の追従を許さない価値がある。学術研究からすれば、清宮廷医学文化財は医学史研究、宮廷史、中国と西洋の文化交流史における一次資料であり、これらの分野の研究に重要な役割を果たし、文献や文書の記載の不足を補うこともできるだろう。

しかし、清宮廷医学文化財の研究は複雑で専門性が強く、一部の研究はまだ深められていない状態にあり、ある分野にいたってはまったく手付かずの状態にある。故宮研究院の中医薬文化研究所の成立は、まさに故宮研究院と社会各界の優れたリソースを統合し、共に清宮廷医学文物の発掘・整理・研究に尽力し、民衆の疾病治療・保健のために役立ち、世界に中国医薬文化を伝え、中医薬文化の革新を模索し、文化的自信を固めるものとなるだろう。

われわれの多くの研究所の中に、故宮文物南遷研究所と映画テレビ研究所という極めて特殊な研究所があることにお気づきになったかもしれない。二〇一〇年六月、故宮博物院と台北故宮博物院は共同で、「文物南遷の道を再び辿る」という調査活動を行った。同年十月、「故宮文物南遷史料展」が神武門展示室で行われ、社会各界の広範な注目を集めた。

これはわれわれがずっと忠実に守り続けてきた故宮精神と同根同源の歴史文化を回顧する重要な方法である。二〇一七年三月、第十二期全国政治協商会議第五回会議に、私は「故宮文物南遷史跡保護に関する提案」を提出し、「故宮文物南遷史跡」全体を全国重要文化財にすることを提案した。同年六月、故宮研究院は故宮文物南遷研究所とテレビ映画研究所を同時に設立した。この二つの研究所には、故宮博物院事業発展の需要に立脚し、学術メディア発展の時代の波に直面して、文化財を本来の姿へと回帰させ、歴史の本源を再現し、古い故宮に時代の気風にあった研究の翼をもたせたいという願いが込められている。二〇一七年十二月、故宮研究院はウィズダムツリーネットワーク（中国のインターカレッジ・インターネット課程）「故宮に足を踏み入れる」で、紫禁城の建築と故宮の収蔵品を紹介し、故宮文物の南遷の記憶を分かち合い、故宮の文化財保護理念と職人魂を伝える試みを始めた。二〇一七年、六百七十七の大学がこの課程を大学の授業に導入して学生の選択科目とし、この単位を取得した学生は二十万人近くに及び、満足度は九六・三%に達した。二〇一八年八月、ゲーム開発者や大学生などの若者をターゲットとして故宮の文化財が南へと運ばれた史実を基礎に創作されたアニメ『故宮のこだま』が、騰訊（テンセント）のアニメ漫画オフィシャルサイトでオンラインリリースされた。これはのべ四百七十万人が視聴し、九・五点という高評価を得た。

故宮博物院はさらに、「文博法制研究所」も設立した。文博法制研究所の成立は極めて先見性に富むもので、国内で初めて設立された博物館の法律問題に関する研究を専門とする機関である。文博法制研究所は民族のすぐれた伝統文化が海外で遭遇する法律問題について研究し、特に法による統治の全面的推進という重要な指示の精神を徹底して実行するもので、さらには文化財や博物館関係の法学研究を盛んにし、特に故宮を保護する法律問題を研究している。

また、故宮だけにある宮廷園芸研究所の設立趣旨は、宮廷皇室庭園の歴史・文化そして宮廷の伝統的花卉植物栽培の歴史・技術を掘り起こして研究し、故宮の古樹や名木の手入れの水準や保護方法を向上させ、それにより全院の庭園管理を牽引・指導するというものだ。

この研究所の設立により、宮廷園芸研究の新たなる世界が切り開かれ、故宮庭園の手入れのために有力な理論と技術を提供し、明清宮廷史・建築設計・考古学などとの重複分野にもより多くの可能性を見い出させ、故宮庭園の手入れのために多くの人材を育てる。同時に故宮研究院の研究内容を豊かにし、研究分野を広げ、多学科が重複する分野の研究力を強化して、研究者により広く自由な研究プラットフォームを提供するためのものだ。

多くの研究所を設立すると同時に、故宮研究院は更なる人材育成のため、ポスドク科学研究ステーションの設置を国に申請し、二〇一三年八月、申請が受理された。通常、新設されるポスドク科学研究ステーションは三年後に初めて招聘可能となるが、故宮博物院のポスドク課程は成績が極めて良く、管理がしっかりしているため、全国ポスドク管理委員会（国務院の管轄機関）に高く評価され、一年半前倒しの招聘が可能となった。

こうして、故宮博物院ポスドク科学研究ステーションは、故宮博物院の人材育成と人材誘致の場となり、特に短期的なハイエンド学術人材の誘致により、故宮博物院の短期的な人材不足を解決することができる。また、故宮博物院の業務人員が学科の最前線で革新的な研究を行うことを促進する。現在、故宮博物院のポスドク科学研究ステーションの研究分野として、考古学、古建築研究、明清文書および宮廷史研究、明清宮廷史、中国古代書画鑑定・所蔵史研究、新中国出土墓誌整理、甲骨文整理、科学技術保護研究、古窯址調査・研究、明代宮廷工芸史、明代工芸美術史、宮廷戯曲研究、故宮博物院史、清宮廷戸籍研究、中国書道研究などがある。

故宮研究院とそれに所属する各研究所は、研究機関であり、研究を行う場であり、プラットフォームである。そこに不可欠な要素が人員だ。故宮博物院は学術研究機関であり、学術研究に力を入れる必要がある。現時点で計四百名余りの高級研究員がいるものの、多くが高齢の専門家で、すでに定年退職しているか、定年間際である。こうした研究員は故宮博物院の最も貴重な人材資源で、彼らは一生の智慧をすべて故宮博物院に捧げ、定年後もなお故宮博物院事業の発展を望んでいて、

故宮博物院ポスドク
科学研究ステーション
（二〇一六年六月二十五日）

研究を続けていきたいと願っている。故宮研究院が成立した後には、定年となった研究員は、非公的機関である研究院により招聘されることとなり、博物院主導による人材招致が公務員規定に束縛されるのとは異なり、「科学研究プロジェクト制」モデルにより、それぞれの研究所の必要に応じて柔軟に人員を招致・任用できるようになった。研究所の責任者として、定年退職した業務院長や古くからの研究員、院外の専門家がその名誉職につき、定年を迎えた研究員や院外の著名人の学術的影響力が十分に発揮された。このようにして七十歳余りから九十歳余りの専門家たちがいまだ現役で活躍しており、彼らの周りに若い学者が集まり、身をもって学術知識を教え、伝えていき、研究基礎を培い、故宮精神を発揚し、若い学者を迅速に育成している。例えば鄭欣淼先生が研究院院長に就任し、朱誠如、李季、晋宏逵《き》、陳麗華、王素先生がそれぞれ明清宮廷歴史文書研究所、考古学研究所、古建築研究所、明清宮廷制作技芸研究所、古文献研究所の所長となった。故宮博物院院長が故宮博物院と故宮研究院の総調整業務を担い、政策や行政からの援助、資源分配などの方面で強力な支持を提供し、故宮研究院の全面的なバックアップを行っている。

故宮には多くの専門家がいることは皆さんもご存じだろう。特に旧世代の故宮の専門家は文化を尊び、徳の高い人たちであり、大きな貢献をしてきた。例えば著名な古文字学者・青銅器専門家・歴史学者の唐蘭先生は、古文字研究上で旧説を乗り越え、漢字の「三書説」理論を構築し、古文字を四つの体系に分けて、西周青銅器の時代区分理論と実践的なシステム工学などを打ち立て、学術界に新たな啓発と貢献をなした。杜迺《だい》松先生は、『唐蘭先生の学者気風』の中で、「先生は亡くなるまでずっと研究・模索を続けた。家にいてもホテルにいても、道中でも……」と記している。

故宮研究院に時計研究所などの研究所を設立する発表会
（二〇一七年六月二日）

故宮研究院学術成果交流（二〇一六年五月五日）

故宮研究院にて、台北故宮博物院の馮明珠院長と共に
（二〇一三年十一月九日）

著名な清史専門家・古文書専門家・古建築学者の単士元先生は、中国古文書学界で初めて古文書目録学を提唱し、建築史学界において古代建築技術研究を中国建築史研究の範疇に初めて繰り入れ、古代建築の研究分野を拡大した。単士元先生は呉仲超院長の支持のもと、古建築研究室、古建築管理部を成立させ、瑠璃瓦工場を開設して、敏腕な古建築修理グループを組織し、自らの建築理論と技術工芸などの方面における長年の研究成果を、古建築修理・管理・保護の方面に応用し、中国の古建築研究と実用技術のレベルを大いに高めた。

著名な文化財専門家・歴史学者の朱家溍《しん》先生は、故宮博物院に六十年にわたって勤務した多方面にわたる専門家で、故宮博物院の生き字引ともいえる人物である。一九九二年、国家文物局が専門家チームをつくり、全国各省・市から報告されている一級文化財の鑑定・確認のために各地の博物館と考古学研究所に行った際、専門家チームの中には陶磁器専門家、青銅器専門家、玉器専門家がいて、この三種類以外の文化財はおもに朱家溍先生が鑑定した。

学者であり芸術家でもある故宮博物院古書画鑑定専門家の徐邦達先生は、書画自体の価値で鑑定を行い、所蔵者の徳行や地位、コネなどで自分の鑑定に関する意見を変えることがなかったため、その鑑定意見の正確さと権威性は世の中に広く認められている。徐邦達先生は著作も多く、古書画の鑑定を研究・学習している若者からすれば、彼の著作は最も系統的・総合的で、最も信頼できる教科書となっている。

近年、故宮博物院の専門学者の成績は目をみはるものがあり、多くの賞を受賞している。例えば、于堅、鄭珉中、耿宝昌、徐邦達の四人の専門家は、「中国文化財・博物館事業の傑出した人物」という栄誉称号を受けている。故宮博物院のこうした専門家たちは、学問を究めることに一生を捧げたのみならず、人を教え導き、後進を抜擢し、一代そしてまた一代と学者を育成している。彼らは共に「故宮人」の特徴を体現していて、それは故宮を愛し、故宮を栄誉とし、故宮博物院の発展に無私の貢献を行い、厳格で真面目で、自分の仕事をしっかり行おうと努力し、社会・大衆に奉仕するというものだ。

現在の故宮博物院で定年後再雇用された最高齢者は、百歳に手が届こうとしている陶磁器の専門家、耿宝昌先生である。耿先生は一九二二年に北京で生まれ、小さい頃から敦華斎（北京の著名な骨董店）で学んだ。一九五六年に故宮博物院にやって来て、この時からずっと故宮で働いている。六十年余りの間、耿先生はずっと事業に対する情熱と故宮に対する深い愛情をもち続けている。すでに齢九十を超えているものの、彼はいまだ『中国陶磁史』の編纂を取り仕切っていて、二〇一五年の故宮博物院九十周年記念の陶磁器展覧では、彼は「故宮博物院汝窯展」「越窯青磁展」「御窯遺跡出土と成化磁器対比展」といった展示を積極的に行い、故宮における多くの大学者の代表ともいえ、故宮のとっておきの「宝物」である。

故宮博物院は公開・開放という優れた伝統を守り続け、研究成果の発表・伝播・交流を重視し、常に分かりやすい形で社会大衆に紹介し、刊行物・書籍出版、学術シンポジウムの開催、特定テーマ報告会などの方法により、故宮の研究成果を専門領域のみならず、社会大衆に対しても積極的に知らしめている。『故宮博物院院刊』はその伝統文化研究という特色によって、数千種類の定期刊行物の中から、「中国語定期刊行物で海外に学術的影響力をもつ五十冊」に選ばれている。『故宮学刊』は故宮研究院が発行する刊行物で、本格的な優れた文章によって、裏付けのある研究を紹介しており、学界からの称賛を受けている。古建築研究所と協力して整理・出版した『北京中軸線古建築実測図集』は、北京の中軸線研究の支柱となっている。書画研究所と協力して開催した『石渠宝笈』特別展および学術シンポジウムは、社会から注目を浴びた。資料情報部門の技術指導のもとで、学者たちの新たな文化財研究成果もアプリの中で実用化され、人々の手のひらの上に姿を現している。

学術の開放は時代の趨勢であり、今では情操教育需要や文化的品位の追求が急速に高まっていて、故宮博物院は収蔵・保管、陳列・展示、宣伝・教育、文化・クリエイティブ製品（博物館オリジナル製品）の創造などすべての分野において、以下のような新たな目標を定めている。収蔵・保管を、「置いておく、積み上げて置くだけ」をやめて、より規範的に行う。陳列・展覧において、ただ逸品を並べるだけではなく、より文化的なものとする。宣伝・教育において、詰め込み教育をやめ、より情操的なものとする。文化的商品の創造において、粗雑な偽物を途絶し、より品位をもつ「学術の故宮」という発展理念を体現するものとし、また故宮研究者が「象牙の塔」にも、大衆にも受け容れられるようにする。

当然、故宮というこの学術研究機関は、研究成果がもたらす学術的影響を重視しているだけでなく、学術成果を文化・クリエイティブ製品の研究開発に反映させることも重視している。われわれはどの文化・クリエイティブ製品もすべて「来歴のないものはない」ことを重視するよう要求していて、この来歴は故宮博物院が七年の時をかけて完成させた収蔵品整理に基づいている。例えば故宮出版社が出版した書籍は、『故宮ごよみ』『紫禁城一〇〇』などのベストセラーも、「故宮博物院収蔵品大系」などのプロジェクトも、すべて収蔵品整理作業を基礎に生まれたものであり、故宮文化に温もりと厚みをもたせ、生き生きと紙面に再現しているものだ。前にも挙げた子ども向けのアプリ『皇帝の一日』には、豊富な知識が含まれていて、どれもが緻密な考証と深い研究を経て実現したものである。このような学術研究に対する要求は、故宮の文化・クリエイティブ製品がもつ内容と伝える文化の正確さと先見性を保証していて、故宮文化と中国伝統文化の厚みと味わいをまさに体現するものとなっている。

今日、故宮学術研究の分野はしだいに広がって、文献考証を重んじる研究特色をつくりあげ、ボリュームのある研究成果が常に出現し、研究チームは拡大を続け、人材を輩出するという好循環が生まれていて、長期的育成と実務により鍛えられた若い専門人材が成長するにつれ、驚くような学術的成果を獲得し続けている。社会的影響力をもつ研究成果が絶えず生まれ、ベテランから若手までが揃った研究チームの構造もまた、故宮の学術発展の後継者を育成している。故宮は教育機関であり、同時に学術機関なのだ。これはまた、われわれは大衆普及教育をうまくやるのみならず、学術研究をもしっかりとこなし、どちらもしっかりと行う必要があるということを意味している。故宮は唯一無二のもので、教育と学術を共に重んじるという特徴も唯一無二のものだ。

故宮博物院は中国五千年の文明、紫禁城の六百年の歴史をのせ、百年近い発展を経て、今まさに未来を切り開くための正念場にさしかかっている。過去を回顧すると、曲折があるからこそ、啓発がある。未来を展望すると、困難があるからこそ、なおさら自信と希望に満ちている。未来においてわれわれは、依然として故宮の特色をもち、普及教育と学術研究を共に重んじる体系構造を持ち続ける必要があり、常に故宮のこの二つの方面における影響力を拡大し、社会により豊富な答案を提出する必要があるのだ。

承乾宮の梨の花

肆

第四章

若者を感動させた職人魂

『私は故宮で文物を修理しています』という動画をご覧になったことがあるだろうか。これはとても大きな反響を呼び、動画サイトの評価は九・四点に達し、かの有名なドキュメンタリー番組『舌の上の中国』をも超えるほどであった。私が最も感動したのは、「イイネ!」を一番多くつけたのが大学生だったことだ。このようなスローペースの、しかし文化的情緒がたっぷりの作品が本当に彼らを感動させたとは意外であった。なぜならその証拠に、その翌年、故宮博物院で文化財修復を学ぼうと応募した学生が一万人にも達したのだ。

私は大学生たちが応募前に、次のことを理解しておいてほしいと思う。文化財修復・保護の仕事は奉仕精神にあふれた職業で、日常の業務は動画に撮影されているように、果物を摘んだり、野良猫と遊んだり、ギターをつまびいたりしながらといった気軽なものではなく、それらは監督が文化財修復師のロマンチックなムードを表現するために行った芸術的処理に過ぎない。

日常の仕事の本当の様子は、黙々と名を知られることもなくコツコツと働き、全神経を文化財修復に注ぐという過程であり、一日また一日、そして一年また一年と過ごし、まさに「一度選んだ職業は一生貫き通す」といったところであり、しっかりと覚悟を決めたうえで志願してほしいと思う。

故宮の「考工記」

最近数年、故宮博物院を訪れた人はみな、古建築の一部が厚い緑色の囲いに覆われ、外側にたくさんの足場が組まれ、内部では多くの安全帽をかぶった人たちが忙しそうに働いているのを見かけたことと思う。こうした古建築の内部が開放されていないことを残念に思った人もいるだろうし、故宮の中で古建築の修復を目にできたのはラッキーだと思った人もいるかもしれない。ここで、私は「期待」を抱いて古建築修復をみてほしいとみなさんに言いたい。なぜなら今、ここ百年で最大規模の故宮古建築の修復・保護が行われているからで、われわれはこれを「百年に一度の大修理」と言っている。

歴史を遡れば、故宮の大修理のたびに、職人たちの技が伝承されている。

故宮古建築の第一回大修理において最も注目を浴びたのは、倒壊した西北角楼の大修理である。故宮の角楼は紫禁城の象徴ともいえ、そこを通りかかるたびに思わず足を止めて鑑賞してしまう。『清式営造則例』の中で木造大建築は廡《ぶ》殿（寄棟造に相当）、硬山（切妻屋根に相当）、懸山（切妻屋根に相当し、硬山よりも軒が深い）、歇山（入母屋造りに相当）の四種類の様式に分けられているが、角楼はこれらの種類のものとは異なる様式をもつ。一般的に角楼は「九本の梁と十八本の柱と七十二本の棟がある」と形容されるが、実際にはそれよりもさらに複雑な構造となっている。三層の屋根には合計で二十八個の翼角（跳ね上がった軒）、十六の窩角（へこんだ角）、二十八の窩角溝、十面の破風、七十二本の棟があり、さらに背後に隠れた十本の棟がある。屋根の上にいる吻獣（動物の飾り物）は合計二百三十四で、太和殿のものの倍以上だ。

一九四九年に中華人民共和国が成立した後、紫禁城に存在する問題に対し、故宮古建築修理史上初めての五年にわたる整備と補修計画が定められ、長年のうちにたまっていた多くの廃材やゴミを撤去し、堀を浚渫し、内金水河両岸の壁を修理し、紫禁城の範囲内にある地下水道を整備し、長年放っておかれた古建築を修理し、三大殿外側の軒部分の装飾画を塗り直すなどした。一九五六年には、西北角楼の崩落部分の修理が行われた。

故宮博物院は角楼の複雑な構造を考え、代々名大工の誉れが高い元興隆木工場の名大工の馬進考・杜伯堂らに木造施工の指導を頼み、角楼を元通りに修復することにした。装飾画は何文奎・張連卿らの北京の名職人に頼み、さらにその他の技能をもつ職人たちにも頼んだ。こうした職人たちの技はどれも素晴らしく、人々は「故宮十老」と称賛した。まさにこの十人を代表とする名職人たちが故宮博物院の初代職人となり、同時に二代目の職人たちもこの大修理の中で育まれ、頭角を現した。当時戴季秋、趙崇茂、翁克良が馬進考と杜伯堂に師事し、西北角楼の修復工事終了後には続けて模型製作を学び、それは十年間にわたった。今でも故宮博物院古建築部には西北角楼の一角の四分の一模型と御花園にあるあずまやの模型が保存されている。朴学林、鄭九安、王友蘭は周鳳山、張国安に屋根の下地塗り・瓦ぶきを学んだ。張徳恒・張徳才・王仲潔は張連卿・何文奎に師事して三大殿の装飾画を描き直し、乾隆花園、三大殿、東西六宮の彩色様式など故宮の大部分の装飾画の等倍摸写を行い、それは合計三百枚に及び、後に『故宮建築装飾画図録』がつくられた。

故宮の第二次大修理は一九七三年に始められた。この大修

御花園の環境保護を語る王仲傑先生
（二〇一三年一月三十日）

理を完成させるため、故宮工事隊（修繕技芸部の前身）は外部から三百人の若者を招聘した。彼らは趙崇茂・戴季秋に師事して午門正楼、東西雁翅楼、太和門の東西にある建物、鐘粋宮、景仁宮、養心殿、慈寧宮花園、東南角楼などの修理工事に次々と参加した。瓦職人の見習いは師匠と共に故宮小石橋宿舎の工事現場で新たな建物の建設工事に参加し、塗料画見習いは師匠と共に神武門などの装飾画の現場で実際の作業を学び、大工見習いは師匠によって図面引きされたものの作業方法を学び、一般的な木造建築を組み上げた。冬になると室外作業ができなくなるため、二代目職人たちは新たにやって来た若者に仕事についての講義を行った。大工の李永革・黄有芳・翁国強、瓦職人の呉生茂・李増林・白福春、塗り職人の劉増玉・張世栄、彩色画の張志全などを代表とする三代目職人たちが頭角を現した。

二〇〇五年十二月、半世紀近く中断していた伝統的な師弟制度が故宮博物院で再び始められた。瓦職人の白福春は故宮古建築専門家の朴学林先生を師と仰ぎ、大工の黄有芳と焦宝健は故宮古建築専門家の翁克良先生を師と仰ぎ、装飾画の張志全は故宮古建築専門家の王仲潔先生を師と仰いでいた。これらの弟子たちは技術面で故宮の第三代職人の中でも選りすぐりの者たちで、師につくことで、より素晴

古建築修理センターの入所式（二〇一三年二月四日）

らしい技術を学ぶチャンスをより多く得て、故宮古建築の建造技術を伝承していき、それにより太和殿やその他の建築の大修理を無事に果たしたのである。

第三回大修理、すなわち今回の「百年に一度の大修理」は二〇〇二年に始まり、故宮博物院は「故宮古建築全体修理保護工事」をスタートさせた。これは一九一一年以降の百年余りの間で規模が最大の、範囲が最も広く、時間が最も長い故宮古建築修理・保護であり、数百年の歳月を経た故宮古建築に未曾有の規模の保護作業を行うもので、このために「世紀の大修理」とも呼ばれている。紫禁城は明の永楽帝が一四二〇年に建設したもので、二〇二〇年にちょうど六百歳となる。

われわれは十八年にわたる努力により、故宮古建築群を全体的に健全で安定した状況に保ち、壮麗な紫禁城を完全なまま次の六百年に引き渡したいと願っている。この全体修復工事は、「まず地下を、その後に地上を、先に室外を、その後に室内を」という原則を守り、インフラや室外環境、古建築単体と室内装飾に保護・修理を行い、続けて一部の修理を終えた地域を開放していくというものだ。この大修理が始まったばかりの頃、私は国家文物局の局長であり、故宮・天壇・頤和園・明の十三陵などの一連の世界文化遺産の古建築修理・保護工事の質を保証するため、住宅と都市農村建設部を訪ね、古建築の修理・保護工事はその他の土建工事とは違うこと、特に保護・伝承方面における歴史的責任について述べ、このために特殊な業界管理機構を設立すべきだと言った。この提案は住宅と都市農村建設部の理解と支持を得ることができた。このため、文化部と国家文物局は関連規定や制度を制定し、古建築修理・保護業界の実地調査・設計・施工・管理などの方面の資格システムを打ち立て、それは今日までずっと保持されている。

二〇一二年、故宮博物院独自の宮殿古建築建造技術の伝承者を育成するため、故宮博物院は一般に向けて十四人の伝承者を募集した。一年の学習を経てこの十四人の伝承者は二〇一三年に集団で師匠についた。張世栄、丁永利、呉生茂、白福春、白強、翁国強、黄有芳、張吉年、劉増玉、張志

故宮博物院北院区宮廷園芸研究センターの視察
（二〇一四年四月四日）

故宮宮式古建築営造技術伝承者の審査
（二〇一四年六月二十五日）

全の十人の古建築修理を専門とする師匠が、張奉兵、梁利軍、薛《せつ》永東ら若い弟子をとることで、われわれはとうとう古建築修理事業の未来を見い出し、職人魂が代々伝承されていくことが期待できるようになった。

　故宮の古建築修理現場を見たことのある人ならば、ここが他の作業現場とは明らかに異なっていることが分かるだろう。ここには重機がなく、建築材料はすべて手押し車で工事現場へと運ばれ、人の力で運べない木材には、百年前と変わらない道具である「滑車」を利用する。故宮の古建築修理は、原材料、原技術、原構造、原形という四つの「原」を尊重していて、伝統的な工事技術の特徴に影響を与えないところでは、大工たちは電動工具を使うことができるが、ほとんどの時には伝統的な工具が使われている。大工の線引きには墨壺、墨さし、毛筆、方尺、計測棒、五尺差しが使われ、木造部品を加工・製作するための工具として、手斧《ちょうな》、のみ、斧、のこぎり、かんななどがある。

　故宮古建築修理の難しさを最もよく体現しているのが、瓦ぶき作業における下地塗りである。これはいわば、屋根の上に防水加工をほどこす過程であり、「三漿三圧」と俗に言われるが、それは三回石灰液を塗り、その後三回重みを加えることを意味する。しかし、この三回というのは、実際に三回行うというわけではない。晴れた日なら、乾きが早く、「三漿三圧」で足りるが、もし曇りだったら「六漿六圧」が必要かもしれず、どの過程も手をぬけば、雨漏りにつながり、雨漏りは古建築にとって致命的な破損につながる。

故宮の先達である単士元先生はかつて、修復・保護の過程で必ず古建築のもとの形と各種実用的で芸術的な部材を厳格に維持する必要があると強調している。彼は「激しい損傷に対しては必ず大修理で修復しなくてはならないが、保護と修理においてはいつでもこれらの建築物を文化財として扱うべきで、そのためにもとの形式や各種の実用的で芸術的な部材を厳格に維持する必要がある。故宮は中国に現存する最も完全な宮殿古建築群であり、建築構造、工事法はどれも後世の建築家たちが研究するに値する実物である。現在これらに保護・修理を行うことは、形式的にもとの形を変えないほかに、重点的な建築物に対しては、建築材料の上でもなるべくもとの材料を使うべきである」と指摘している。

彼は一九五九年の国慶節に、午門から神武門までの中軸線上の重要な宮殿の装飾画塗り直し作業を取り仕切ったが、しばしば文献資料を調べるグループを組織し、経験豊富な職人・大工たちに教えを乞うていた。太和殿・太和門から袁世凱が皇帝を称した時期の粗末で無秩序な軒の装飾画を取り除き、文献による考証を経て、康熙三十六年時点の最高級の装飾画を復活させた。太和殿外部の軒の彩色画を塗り直すという大変な作業の中で、彼は何度も高い足場に登り、自らそれぞれの工程の要点を指示した。彼の指導のもとで、この故宮古建築修理・保護工事は予定どおりに完成し、人々の称賛と尊敬を勝ち得たのだ。

修理・保護の過程で、専門修理チームはしだいに厳格な形や構造をもつ宮殿古建築の施工技術をつくりあげ、故宮

宮殿古建築建造技術育成クラスの開講式
（二〇一三年十一月九日）

故宮の大修理

古建築の本来の姿を保つ助けとなったばかりか、中国古建築建造技術の発展を直接推し進めた。伝統的に、宮殿古建築建造技術には瓦・木・土・石・足場材、塗装、装飾画、表具という八大技術があり、その下にさらに百項目にも細分化された伝統技術がある。厳格な封建等級制度のもとの古建築には、材料から作り方まで厳格な建造ルールを守らねばならない。宮殿建築の最高レベルを代表するものが紫禁城の古建築であり、これは間違いなく最高峰の建造技術で造られた作品なのだ。

漢字の「工」の字は早くも殷墟から発見された甲骨文字の中に見ることができる。『周礼（またの名を『周官』ともいう）』、『春秋左氏伝』には周王朝と各諸侯国がすべて建造を司る機関をもっていたことが記載されている。無数の名大工や職人たちが大規模な建築を残したものの、史書に記載され後世に名を残す人は少なかった。大工・職人たちが匠《たくみ》と称されるのは、実際に彼らがある種の熟練した技能をもっているためだけでなく、技能が時間の累積によって熟練したものになっていくためで、「手仕事」である古建築そのものへの敬意と愛情は、長い歴史の中に探し求める必要があるのだ。

壮麗な紫禁城を完全なまま未来へ引き渡すために最も必要とされるのは、これらの無名の職人たちである。故宮の古建築の修理・保護は終わりのないマラソンであり、彼らはバトンを受け取る最も優れたリレーランナーなのだ。

特別・特例の「百年に一度の大修理」

紫禁城は明清代の皇帝の住まいである宮殿建築群で、中国の伝統的な宮殿古建築の最高傑作であり、中国古代宮殿建築の最終段階の典型でもある。今日の故宮内には明清代の各種の宮殿古建築が保存されていて、百科全書式に明清代の宮廷の姿を反映している。故宮のどの古建築も唯一無二のものと言ってよいものだから、その修理はいつでも研究性をもつ保護プロジェクトであるべきだ。そして避けることのできない歴史的責任があり、古建築修理・保護の手本となるべく努力すべきで、一般的な土木工事や建築工事と同等に捉えてはならない。

故宮の今回の「百年に一度の大修理」は世間からの大きな注目を浴びているといえ、われわれ「故宮人」はこれに対し慎重のうえに慎重を重ねねばならない。ある意味からすると、現在の故宮の古建築の保護と伝承が直面している問題は、工芸や技術面のもののみならず、認識や態度の問題でもある。すなわち、どのような理念をもって中国の伝統文化と人類文化遺産の問題に対峙するかというものだ。このため、われわれは修理と同時に常に思索と試行を重ね、保護理念の深化と改革をも引き起こさねばならない。

二〇一〇年以降、組織の機能調整により、「故宮古建築修理保護」工事は専門チーム、材料供給、施工周期、技術伝承などの多くの新たな問題に直面し、しばらく実施を見合わせざるを得なくなった。一つは専門チームの問題で、故宮の古建築修理・保護工事は専門性が強く、一般の企業では修理工事の質を保証するのが難しいからだ。故宮博物院がもともと持っていた古建築修理・保護チームは十分に専門的で、業界における誇りであった。しかし現行の政策では、自らの所属団体は入札に参加できないため、二〇一〇年に解散を余儀なくされた。次に材料供給の問題については、今まで故宮の古建築で使われていた材料は往々にして手作業で作られたもので、複雑な加工手順により質を高める必要があるものばかりで、そのコストが非常に高かった。現在、古建築保護・修理のために用いる材料は政府の買い付けという方法で得なければならず、「三社の商品を比べ」、価格的に優れた材料を使うと規定されている。そのために、かえって古建築修理・保護の質を保証するのが難しくなっているのだ。三つ目は周期と経費の問題で、毎年古建築の修理・保護経費は往々にして十一月にようやく支給が完了するが、翌年八月末、十月末に経費使用「実行率」の検査がある。もしお金を使っていなかったら経費は回収され、翌年の経費申請に影響を及ぼす。このために常に工期を急がせる必要に迫られ、修理・保護の合理的周期を保障するのが難しく、一部の細かく考慮し、慎重に決定する必要のある問題がしばしば棚上げされ、ひいては永遠の悔恨となってしまっていた。四つ目は技術伝承の問題で、故宮博物院が現在抱えている古建築修理専門家が高齢化し、ほとんどがすでに定年または定年間近になっているが、人事制度にしばられ、定年後の再雇用ができない。「徒弟制度」式の人材育成は、戸籍制度などの政策に制限され、独自の制度を用いることも難しく、このために人材が流出してしまう危機にさらされている。これが続くと、故宮の宮殿古建築建造技術は受け継ぐ人がいなくなるという厳しい局面を迎えることになる。

幸いなことに、こうした困難な状況のもとでも、われわれは改革のチャンスを迎えた。二〇一五年十一月、全国政治協商会議で「無形文化遺産の伝承と保護」二週間協議座談会が行われた際、私は八分間の発言のチャンスが与えられ、故宮古建築修理保護における困難と問題について報告し、当時の全国政治協商委員会の兪正声主席が深刻に受け止めてくれたのだ。私の報告の際、兪同志は「故宮博物院の工事チームは解散したというのか？」「古建築修理にも入札が必要だというのか？」「伝統技術をもつ高齢の職人も再雇用できないというのか？」などと矢継ぎ早に質問を重ね、彼は私に国務院に対しこれについての報告書を書き、故宮の古建築保護・伝承における問題を報告するように指示した。「あなたは常務委員なので、あなたに報告書を書くのでもよいか」と私が聞くと、それでもよいと返答があった。その後、故宮博物院の報告書が国務院に渡され、国務院の指導者の重視を受けて、文化部・財政部・人材資源と社会保障部などの部門で「特別・特例」という原則で研究が進められ、解決法が提出された。

「特別・特例」は故宮博物院が古建築修理・保護メカニズムを整備する重要なチャンスとなった。私は故宮の古建築の保護・修理が「特別・特例」であるだけでなく、全国の古建築修理・保護がすべて「特別・特例」であるべきで、中国古建築文化の特色を尊重し、中国古建築修理の法則を尊重し、中国古建築修理・保護がもつべき技術力を保障すべきだと思っている。

二〇一五年、今までの古建築修理・保護の経験を総括したうえで、故宮博物院は養心殿、乾隆花園、大高玄殿、紫禁城城壁という修理・保護を急きょ必要としている四つの古建築群を選び、「研究・保護プロジェクト」試行地点として、古建築修理・保護の新たな実施メカニズムと伝承方法を模索することになった。

われわれの養心殿に対する重視は尋常ではないレベルのものだ。養心殿は明の嘉靖十六年（一五三七年）に建てられ、建造資料が完全に残されている宮殿建築の一つであり、世界記憶遺産ともなっている清代様式雷建築図案の実物証拠である。養心殿は『孟子』「尽心下」の「心を養うは寡欲より善きは莫し」から名付けられ、主体建築は明代の宮殿建築が引き継がれていて、もともとは皇帝の正寝宮殿の脇にある別殿であった。雍正帝がそこを寝宮と日常の執政場所としてから、清代中期以降、歴代皇帝はみなここを実質上の正寝宮殿とし、清代の雍正帝以降の重大歴史事件をほとんど見届けていると言ってよく、清代の皇帝の高度な集権的政治体制における中心的な場所であった。

養心殿ゾーンは養心門内部、乾清宮西側、西六宮南側にあって、赤い壁に囲まれた独立した建築群である。南北の長さは約九四・八メートル、東西の幅は八一・三メートルで、敷地面積は約七七〇七平方メートルである。養心殿、工字廊、後殿、梅塢《う》などの十八棟の建物があり、総建築面積は約三八八七平方メートル。

養心殿は清朝最盛期における執政空間の典型であり、乾隆帝の「内聖外王」人生が追い求めた紫禁城内で最も代表的な芸術的表現であり、乾隆帝の治世の理想と文化的素養を集中的に体現し、多元的文化が共存する、中国・西洋文化交流の芸術的結晶でもある。養心殿は「工」の字形をしていて、前殿と後殿は廊下でつながり、前側が執政空間、後側が生活空間という構造となっている。殿内は配置に富み、機能が集中し、広間や書斎、寝室、そして上奏文の閲覧・指示、密談、休憩、仏像礼拝のための小部屋などがすべて揃っている。前殿の東西両側に配殿があり、後殿両側には体順堂・燕喜堂という耳房（母屋両側にある部屋のこと）がある。

養心殿の構造と装飾は時期による変化はあるものの、雍正帝以降の各時代のものをいまだそのまま残していて、清代工芸美術発展の研究および清代の皇帝や皇后の執政・居住空間の貴重な史料となっている。養心殿内部には各種の室内装飾品が千八百九十点あり、銅器・玉器・磁器・木器・書画・古籍などにわたっていて、すべて極めて高い文化的価値をもっている。

二〇一五年末、「養心殿研究・保護プロジェクト」が正式にスタートした。この時の修理・保護は、科学研究・文化工事プロジェクトとして進められ、国内文化財・建築保護の手本として、「研究性・予防性」を主とする科学的修復を率先して実現することが期待されていた。

修理・保護が始まる前、われわれは各関連部門の専門人員を動員し、養心殿の歴史沿革から文化事件まで、建築から収蔵品まで、室外景観から室内環境まで、学術研究を先行させた。専門学者が三十六の関連研究課題を申告し、学術委員会の審査を経てそのうち三十三項目が採用され、百人にものぼる研究者が養心殿の修理・保護の前期研究に参加した。同時により詳細な実地調査と測量・

製図が行われ、十分な科学研究の基礎の上にプロジェクトを打ち立て、古建築修理・保護の手本となるべく努力した。

二〇一六年四月、この三十三項目の「養心殿研究・保護プロジェクト特別課題」が正式にプロジェクト化され、それを支えるための学術成果と人材が提供された。故宮博物院はこれにより文化遺産保護の新たな道を切り開き、職人の募集・考査・育成メカニズムを打ち立て、宮殿古建築修復材料供給基地を設立し、材料性能基準を制定して、消滅の瀬戸際にあった古建築建造技術と装飾技術、そして文化財修復技術の復活に貢献した。

修復作業が始まる前、われわれはまず養心殿の装飾物を取り去った。二〇一六年五月三十日、養心殿の移動可能な文化財を撤収する作業が正式に始まった。われわれは詳細なタイムテーブルと関連制度・措置を制定した。撤収作業は建物を単位とし、文化財の種類別に原状陳列の責任をもつ部門により、一つひとつ確認のうえ各関連業務部門に引き渡され、その後各業務部門の中に設置された専門チームがその文化財の撤収・入庫作業を担当した。具体的な撤収工程は、第一段階は平面陳列物で、例えば玉器、漆器、琺瑯、ガラス、盆栽、時計などだ（器物部、宮廷部、図書館が引き取りの責任を負う）。第二段階は家具陳列と幕・敷物などで、宮廷部が引き取りの責任を負った。第三段階は灯籠で、宮廷部、器物部が引き取りの責任を負った。第四段階は超大型家具で、宮廷部が引き取りの責任を負った。第五段階は書画や仕切り扉で、書画部が引き取りの責任を負った。文化財の梱包には公開入札という形式をとり、内部における文化財梱包輸送資格と豊富な文化財梱包経験をもつ専門会社がそれを引き受けた。撤収作業現場では同時に文化財の埃落としと基礎映像収集も行われた。

二〇一八年九月三日、養心殿の研究・保護プロジェクトが正式に始まった。これは中国初の移動可能文化財と移動不可能文化財の総合研究性修復プロジェクトで、この重要性は言うまでもないだ

乾隆花園三友軒の視察（二〇一三年三月十四日）

ろう。われわれは養心殿に対して修復を行うと同時に、『故宮新事』というドキュメンタリー作品を撮影した。これは現在すでに第四集まで出ていて、これにより、養心殿の大修理の全過程を知ることができる。これ以外にも、大修理前には養心殿の一七％しか開放されていなかったが、大修理の後は八〇％にまで開放地域が増え、さらには「窓の向こうからのぞき込む」のではなく、室内に入って観覧することができるようになった。

乾隆花園はまたの名を寧寿宮花園といい、故宮四大花園（御花園、建福宮花園、慈寧宮花園、寧寿宮花園）の一つで、乾隆帝が自ら退位後のために造った隠居所である。

乾隆花園は故宮寧寿宮地区の西北隅にあり、乾隆三十六年～四十一年に建設され、六年の歳月をかけて完成された。乾隆帝は晩年、寧寿宮を改造するのを許さないとの詔勅を出し、これが乾隆花園が完全に今日まで保存されてきた重要な要因となった。乾隆花園は南北の長さ百六十メートル、東西の幅三十七メートル、敷地面積五千九百二〇平方メートルである。花園は中庭を囲む四合院形式の敷地が四つ縦に並んでおり、建物は合計で二十棟余りある。主な建築物に古華軒、遂初堂、萃賞楼、延趣楼、三友軒、符望閣、玉粹軒、倦勤斎などがある。

乾隆花園の修復プロジェクトは二〇二〇年に完成予定だ。修復の過程で、どの工程にも詳細な記録がとられ、修復報告もすべて出版・公開される予定で、どの伝統工芸も以前の物と同じ材料と技術が使われて修復され、壁からはずした扁額や対聯、絵画などは修復終了後、一ミリたりともずれがないよう、すべて正確な位置に戻される。

倦勤斎を例にとろう。二〇〇三年三月には早くも故宮博物院はアメリカのワールド・モニュメント財団と協力して、倦勤斎の室内装飾の改修保護と修復工事を行っている。双方の努力により、二〇〇八年十一月に、倦勤斎の保護・修復工事が無事完了した。しかしこの修復は極めて試練に満ちたものだった。

倦勤斎は乾隆帝が自ら設計し、床には蘇州産の金磚（皇帝の宮殿や陵墓だけで使われる特殊なレンガ）が使われ、刺繍品は蘇州産の両面刺繍で、百七十六枚の窓と梁には二千六百四十個の和田玉が嵌め込まれている。このほか、倦勤斎内部の装飾には大量の竹製品が使われている。中でも東五間仙楼の上下の仕切り壁の部分には、竹の内側からとれる薄皮を木板に貼り付けるという装飾技術が使われ、現在宮殿内の装飾でこの手法が使われているのはここだけで、極めて貴重なものである。中国の竹細工の巨匠である何福礼はこのすでに失われた技術の研鑽に没頭した。これは紙のように柔らかく薄い竹を布のように凹凸のある木彫図案にはめ込んでいくものである。竹が固すぎても柔らかすぎてもだめで、柔らかすぎる竹は繊維が少なく、もろすぎて使えないなど、加減がとても難しい。ここからも先祖たちの技術がいかに素晴らしかったかを知ることができる。

屋内にはさらに満開の藤棚を描いた「通景画（風景をモチーフに壁などに描かれた絵）」がある。これに修復を行っ

故宮大高玄殿修復工事の現場（二〇一六年十一月八日）

南大庫修理保護工事（二〇一六年四月十六日）

故宮大高玄殿の修復工事の始工式（二〇一五年四月二日）

た際、この絵の裏打ちで用いられていた紙はクワの樹皮から作られた手漉きのクワ樹皮紙であり、同レベルの技術で漉かれた紙を探すため、専門家は何度も各地を訪ね歩き、とうとう安徽省でクワ樹皮の製紙技術伝承者を探し当てて、百回余りにわたるテストを重ねてようやく紙漉きに成功し、この通景画の修復に用いることができた。

倦勤斎の通景画の修復により、クワ樹皮の製紙技術が復元され、二〇〇八年には国家級無形文化遺産として登録された。現在の人々は絵の背後に使われているこの紙を見ることはできないが、修復技術・工芸をしっかりと残せれば、後世の人々にも理解・伝承してもらうことができる。これがすなわち今日の修復作業の原則であり、「未来のために今日の保護が行われる」というものだ。

大高玄殿は神武門外にあり、紫禁城の西北角に隣接していて、明の嘉靖二十一年（一五四二年）に建設が始められ、明清二代にわたる皇室専用の道観（道教の寺院）であった。歴史上、大高玄殿は何度も深刻な破壊を受けたが、二〇一四年に正式に故宮博物院に引き渡され、全面的な調査研究と修理保護作業が始まった。われわれはまず六千平方メートルの法律違反建築と仮設建築を取り除き、同時に「研究・保護プロジェクト」として、多学科が融合する修理・保護方法を採用し、より多くの学術機関や研究団体に参加してもらった。特に言及に値するのは、考古学研究を導入したことで、敷地内の地面の発掘を行っただけでなく、古建築の屋根や梁などについても調査を行った。考古学における地層学・類型学の理念を借り、関係者が詳細に記録をとって、大高玄殿の明代から現代に至るまでのすべての過程について子細に研究し、いかなる文化的痕跡、歴史的糸口も見逃さず、瓦に記された銘文や木造部材に書かれた題字なども見逃さなかった。彼らは歴史上の職人の情報や材料の産地についても研究し、現代的技術による科学記録をとり、修理の時に残しておく必要のある情報を確定して、必要な措置を講じた。第一期文化財建築本体修理保護工事は二〇一五年四月二日から正式に始まり、二〇一六年末に竣工した。大高玄殿建築群のうち大部分の建物がいまだ明代に建てられた頃の木組みと形を保っていて、これは重要な歴史・芸術・社会的価値をもっており、紫禁城内の明代の宮殿建築のもう一つの重要な模範例である。今回の修理工事は故宮博物院の研究性修理保護工事のプレ工事として、経験を積むという重要な任務を担っていた。

二〇一六年から、われわれは故宮の城壁も「研究・保護プロジェクト」に加えることにした。故宮の城壁は全長が三千四百三十七・六メートルで、城台（門の建物がある部分）を含まない全長は二千九百十四・三メートル、壁上部の幅は六・六三メートル、下部の幅は八・五五メートルで、高さは九・三メートルである。主体構造は内部に土を突き固めて造った芯があり、外部にレンガを積み上げ囲った形式であり、四つの方向に四つの城門があって、城門の上には城台と城楼がある。城壁における安全リスクはおもにレンガのアルカリや塩分が表面に融け出て軟化したり、風化したり、剥離が起きたりしていることで、かつ剥離が起きた部分は相対的にもろくなっていて、最大の部分は二十センチにも達している。壁面には垂直の亀裂がいくつも走り、壁の上部の多くの箇所でセメントが流失したり、飛び散ったりしている。城壁の地面の正中線に亀裂が走り、城壁地面の崩壊や内部の土の流失がおき、城壁の地面や側面に草木や蔓植物が生えたりもしている。これらすべてが城壁の安全をひどく脅かすもので、暴雨にあえば部分的に崩壊を起こす可能性もあり、修理は一刻の猶予も許されない。われわれは調査会社に頼み、故宮の城壁全体に詳細な調査を行って「病状」

午門雁翅楼の保護・修理（二〇一五年六月十二日）

分析をし、問題が深刻な部分に科学的な修理案を制定して、城壁の第一期修理工事が始められた。

その中でも、城壁の「病状」が最も深刻なのは、西華門北側の第一歴史文書館から北の計二百三十三メートルである。現在ある資料によれば、この部分の城壁は一九五〇年代から七〇年代まで二度にわたる部分修理の記録があり、九〇年代に行われたのは城壁の外側の修復が主であった。二〇一三年にわれわれがこの部分の城壁が深刻な問題を抱えているのを発見した後、二〇一四年に正面のレンガ層の大きな亀裂と盛り上がった部分に臨時の補強措置がとられた。この時の修理はおもに城壁内部の修理を主とし、城壁の地面と城壁内側の壁面、胸壁部に全体修理が行われた。

このほか、修理の中でわれわれは伝統技術・伝統材料の記録・実験を行い、伝統技術と伝統材料の探究、職人たちの訪問や実験などの方法で今回の修理にふさわしい材料と技術を探し当て、今後の城壁修理に実行可能な依拠と方法を提供した。城壁修理と同時にインフラ整備・改造一期（試験）工事が進められ、故宮博物院の排水・電力供給、暖房供給システムなどに存在する設備老朽化、電力不足などの安全リスクを解決し、文化財建築の安全に対する脅威を取り除いた。この部分の工事で改造された地域の総面積は約十六万九千四百八十五平方メートルにのぼる。

二〇〇二年に故宮古建築全体修理保護工事が始まったときには、故宮の開放面積はわずか三〇％であったが、二〇一五年には六五％に達し、二〇一八年九月に故宮南大庫家具館が開放されたことにより開放面積は八〇%に達し、二〇二五年には開放面積は八五%になるよう現在努力中だ。来院者にとってこのような開放は確かに祝う価値のある嬉しい情報だろう。われわれはより多く、より全面的に故宮古建築群の完全な姿と多様性を展示し、故宮博物院の豊富な収蔵品により多くの効果的な展示空間を提供し、開放地域を拡大することによって、観光シーズン中の混雑という問題を緩和できればと期待している。最大限に観覧ニーズを保障することにおいても、歴史文化遺産の魅力を展示し、観覧サービスを向上させるという点においても、故宮博物院の開放ゾーンを逐次拡大していくというやり方は肯定に値するだろう。これはまた、人々の観覧への期待が常に高まっていることへの現実的な対応でもある。

故宮古建築全体の修理保護工事は、人々によりリアルな故宮を見せ、同時に多くの失われた伝統文化技術を再現して保存するものとなった。故宮史上三回の大修理はそれぞれ三代にわたる職人たちの成果であり、故宮の職人魂を育むもので、こうした手仕事の中に潜む古建築への敬愛や熱愛は、銘記されるべきものである。

私は故宮で文化財修復をしています

明け方、耳に心地よい鳥のさえずりの中で、故宮博物院の赤い大門がゆっくりと開かれ、文物保護科学技術部の閔《びん》俊嶸《こう》先生はまた康熙帝時代の屏風の修理の仕事を始めた。彼はまるで魔法使いのように、埃がつもり破損した歴史の遺物を一日また一日と丁寧にみがき、丹念に修復を行い、屏風はかつての光を取り戻し、輝き始めている。

二〇一六年に放送されたドキュメンタリー番組によって故宮の文化財修復が人々に広く知られる

ようになった。この番組が『私は故宮で文化財修復をしています』である。これは同名のドキュメンタリー作品の中の一つの平凡なシーンで、故宮の文化財担当者が長年心を込めて文化財を守ってきたことの象徴でもある。

以前は人に知られることがなかった故宮の文化財修復は、このドキュメンタリー作品により一気に注目を集め、近年、博物館が大量のファンを獲得する初めてのケースとなった。故宮の人気検索ワードランキングをつくったら、文化財修復師の所属する「故宮文化財病院」がここ二年間、トップに位置することは間違いない。

二〇一六年、故宮博物院は中央テレビ局と協力して、大型文化財修復ドキュメンタリー番組『私は故宮で文化財修復をしています』を作成した。事の起こりは、中央テレビ局が故宮の文化財修復が常に新しい成果をあげていることに喜びを感じ、こうした科学的な態度、特に職人魂を社会に向けて示すべきだと考えたことにある。『私は故宮で文化財修復をしています』は、故宮の書画・青銅器・時計・木器・陶磁器・漆器などの分野における貴重な宝物の修復過程を記録したもので、集中的に故宮の殿堂級の「文化財の医者」と古いものを生まれ変わらせる「文化財修復術」を見せるものだ。この作品が放送されると、たちまち奥の深い内容と鮮明な芸術的風格、精緻な工芸技術、高尚な文化的品位により、人々の賛辞を勝ち取った。

このドキュメンタリー番組は三集しかないが、たちまちインターネットで注目され、動画サイトで人気を博して、その再生数は百万回を超え、全国の多くのメディアが続けて宣伝・報道を行った。動画サイトの豆瓣《ドウバン》では評価が九・四で、七〇%の人が五つ星の評価を下し、当時同じく記録的な好評を得ていた『舌の上の中国』や連続テレビドラマ『琅琊榜』を超え、その年の最も影響力のあるドキュメンタリー番組となった。嗶哩嗶哩《ビリビリ》（中国で人気のあるエンターテイメント・コンテンツサイト）では、『私は故宮で文化財修復をしています』は極めて高い人気を得て、クリック数は二百万近くに達し、六万余りの弾幕（画面を横切る視聴者のコメントを記した字幕）を獲得した。これらの弾幕の中には「三集じゃ足りない。第四集も欲しい」「まるで故宮博物院の人材募集広告だね、私も履歴書送らなきゃ」などというものもあった。間違いなく文化財保護が未曾有の注目を浴びたといえるだろう。

さらに重要なこととして、このドキュメンタリーに「イイネ！」をつけた人の七割が十八〜二十二歳の若者であることで、このことに私はとても感動した。われわれはもともと、ドキュメンタリー作品を通じて科学知識を普及させ、故宮の文化財修復技術とわれわれの態度・方法を知ってもらうことを狙っていて、中高年の人たちが好むだろうと思っていた。意外にも現在の若者は「一度選んだ職業は一生貫き通す」という精神を良しとしていて、これはわれわれを大いに鼓舞するものだった。もともとわれわれは学生たちがあちこちを跳ねまわったり、ケンカしたり、抱き合ったりするような作品を好むと思っていて、このように一日また一日、一年また一年と文化財を静かに修復していくような作品が彼らを感動させるとは思ってもいなかった。この場を借り、私は若者に自分たちの思い込みについて謝罪したいと思う。

『私は故宮で文化財修復をしています』は社会、特に若い学生たちに広範な影響を与えた。二〇一七年には一万五千人が故宮博物院の求人に応募し、その中には文化財修復をしたいと希望する人も多かったが、残念なことに故宮博物院のそうした仕事に関する求人は一年で二十人だけだ。これ以降、若者の文化を愛する情景は故宮博物院の中では当たり前のものとなった。例えば趙孟頫特別展の期間中、私が展示室に入ってみると、七〇%以上が若者で、何人かに聞くと、もう三度来ているると答える若者も多く、六度目だと言う人までいた。彼らがこんなに書画作品を好むとは思っていなかった。われわれはもっと、テレビ・映画作品も含めた彼らが好む作品を、彼らの生活の中に溶け込ませるべきなのだろう。

ドキュメンタリー作品『私は故宮で文化財修復をしています』の発表記者会見（二〇一六年十一月八日）

『私は故宮で文化財修復をしています』は、博物館収蔵品の保護・修復という博物館の「背後にある物語」の本質を見せるもので、粘り強く、人に知られることなく、少しの手抜きもなく、絶えず進歩を求め、文化財の保護・修復という仕事をこなす専門家たちを広く一般社会に知らしめるものであった。

例えば、この作品の中に登場した博学の時計修理師、王津さんは、すっかり名が知られた「スター」となった。多くの若者が彼のことを「男神」と呼んでいる。実際に王津先生は確かに神技をもち、十八世紀の西洋時計が彼の修理により正確に時を刻み、水が流れ、小鳥がさえずり、小人が飛び出て来て、ちょうどの時間になると鐘が鳴り、背後にはさらに音楽が響くようになる。いくつものセットになった内部装置を連動させるのは、本当に大変なことだ。さらに奇跡的なのは、ある日私が食堂で彼に会ったとき、彼がアメリカに行く準備をしていると言ったので、何をしに行くのかと聞くと、授賞式に出るのだと言う。彼はヒューストン国際映画祭のプラチナアワードを受賞したのだそうだ。いったい何を演じたのかと聞くと、何も演じていないという。彼はただ毎日ふつうに仕事をしていたところを撮影されただけで、それで受賞したのだそうだ。王津先生だけでなく、『私は故宮で文化財修復をしています』が人気を博したことで、故宮博物院のあらゆる文化財修復専門学者たちの仕事の価値・態度・技術が日のあたるものとなり、例えば古書画表装・修復の専門家である単嘉玖《きゅう》教授、青銅器修復・保護の無形文化遺産伝承者の王有亮先生、そして磁器修復、木器修復、漆器修復、楽器修復、象嵌修復、吊り屏風修復、そして象牙、螺鈿、つづれ織り、タンカ、刺繍修復の先生方すべての仕事が社会において広範に認められるようになったのである。

ドキュメンタリー作品の放送後、われわれもまた、どのようにして社会大衆の文化財保護に対する未曾有の情熱と注目に応えるかということを考えた。いかにして文化財保護修復の過程で最大限に歴史情報を残していくか？　いかにして現代科学技術と伝統修復技術を文化財保護・修復の過程で有機的に結合させるか？　いかにして人々の注目する中、文化財保護・修復の正確な理念と科学的知識を広めるか？　いかにして社会大衆の文化財保護に対する知る権利、参与する権利、監督する権利、利益を受け取る権利を保障するか？　いかにして代々伝えられる職人魂を守り抜き、社会生活の中で発揚させていくのか？　言い換えれば「故宮の文化財のお医者さん」がいて、かつそれがすでにみんなに知られているならば、われわれの「故宮文化財病院」も迅速に追いつかねばならないということだ。

実際にひっそりと文物倉庫に保管されていたり、展示室に陳列されていたりする文化財や展示品は、すべてそれぞれの生命の過程をもっている。それら自身に大量の貴重な歴史的情報が蓄積されているうえに、人に知られることのない歴史的事件も経験している。このため、文化財の保護・修復の過程でこうした歴史的情報をなるべく多く残しておき、こうした歴史事件を明らかにする必要がある。この目標を実現するためには、文化財修復は単に部門の、業界の、専門の仕事であるだけでなく、部門や業界、専門を超えた総合的な仕事であるべきで、文化財修復は閉じられた分野ではなく、多くの学科が融合した開放的なシステムであるべきなのだ。

かつて世界各地の医学はすべて伝統医学で、医者は自分の経験に基づいて患者を治療していた。

文化財の保護・修復（二〇一四年八月十三日）

十九世紀中葉になると、科学者は実験室の中の科学機器を医学分野に導入し、これにより現代医学の基礎が築かれた。「故宮文化財病院」設立の提唱者で「故宮文化財病院」の院長の宋紀蓉《よう》博士は、「伝統的な文化財修復技術を中国医学に喩えるなら、現代的科学技術は西洋医学で、現代科学理念をもつ文物修復病院をつくりあげるためには、中国医学と西洋医学を結合し、表面と本質を兼ね備える必要がある。そしてとりわけ優れた伝統文化財修復技術に現代の科学技術を加えることで、故宮博物院は現代的科学理念をそなえた文化財修復の『総合病院』をつくりあげることができる」と考えていた。

　もし現在、病人が病院に行って、病気の治療をしてもらうとしたら、医師がすぐに患者に薬を出したり、手術をしたりすることはなく、まず診療受付をして、以前の病歴を取り出して、医師はまず今までの病歴を理解する。その後、体温や血圧、脈拍数などの必要不可欠な身体状況の測定を行い、さらに病状に応じて尿検査や血液検査、あるいは聴診器を当てたり、心電図、X線、Bモードエコー、CT、MRIなどの設備を使って詳細な検査を行ったりして、正確にその病気の原因を突き止め、科学的に治療方法を確定しようとするだろう。その後にようやく治療が行われ、症状に対応する投薬が行われ、病気が治り、健康を回復する。治療の過程で、医師は絶えず患者の状況を観察し、それに対する措置をとって、治療効果をあげる。これらすべての過程に詳細な記録が取られ、健康を回復した後、この時の治療のすべての過程をカルテに書き込み、今後参考できるようにする。

文化財も同じような生命の過程をもつ。ひとつの文化財にとって、修復作業を行う前に、詳細な病状診断を行うことは不可欠だ。例えばある青銅器が「文化財病院」に入ったら、まずその生命の過程を整理し、作られた年代や出土地点、そして製造技術の特徴などを整理する。次にそれに対し全面的な検査・測定・分析を行い、その成分や時代の推移とともにその本体の上に加わった情報について調べる。さらにはその健康状況について評価を行って、病害の進行を詳細に研究し、その病理メカニズムと発生原因を整理する。最後に全面的で詳細な検査・測定のうえで、深い研究と正確な診断が行われ、専門家の立ち合い診察により、科学的な修復方法が決められ、修復・保護方法に基づいて修復作業が秩序だって行われる。同時に修復の過程でどの修復過程および細部についても、いかなる技術をとり、どういった材料、どういった技術で文化財本体に関与したかについて詳細な記録が取られ、その際の画像資料も残しておく。修復完成を待って、文化財報告レポートを記し、一般公開する。こうした「カルテ」すなわち修復文書は、ずっとこの文化財の生命の過程に付き従い、未来の専門家が文化財の「病歴」を知る手がかりとなり、当時の修復・保護の全過程を再現してくれるものとなる。例えば、彩色推定が行われた部位、カビ処理が行われた部位、補修が行われた部位をすべてはっきりと振り返ることができ、未来の文化財保護・修復の参考と

なるのだ。

実際には、故宮博物院がもつ多種の文化財修復・保護技術は、すべて代々伝承されてきたものだ。例えば古書画の表装修復は現在まで千七百年余りの歴史をもつ。唐宋代の宮廷の表装はすでに極めて厳格な様式をもっていた。明清代にはさらに北京を中心とした「京裱《ひょう》」と蘇州を中心とした「蘇裱」が形成され、宮中にある作業所はこの二つの派閥の長所を一体とした独特な特色をもつ表装・修復技術を形成していた。さらには、春秋時代にはすでに青銅器鋳造が最盛期を迎えていて、青銅器修復と複製技術がそれに伴って生まれていた。明清代には青銅器修復において異なる派閥が生まれ、故宮博物院の青銅器修復技術は、「京派」の「古銅張派」に源をもつものである。今では古書画の表装・修復技術や青銅器修復技術は、国家の無形文化遺産リストに登録されている。

一九五〇年代、故宮博物院は文化財修復工場を設立し、八〇年代には文化財修復工場が拡張され、文化財保護科学技術部となって、文化財保護・修復と研究に専門に従事する部門となった。今まで、文化財が文化財保護科学技術部に修復に出されると、修復伝票がつけられ、文化財番号と傷の状況と、文化財の名称、それを届けた人、修復が必要な部位などのいくつかの簡単な情報がそれに書き込まれていただけだったが、近年、故宮博物院文化財保護科学技術部は詳細な文化財修復記録を作成している。文化財保護科学技術部に届けられた文化財はどれもまず、その状況の詳細な記録を取る必要がある。文化財修復前、修復中、修復後の状況について高画質撮影を行い、その対比画像が文書に添付される。今日では研究データの蓄積が文化財修復・保護における極めて重要な過程となっている。

同時に文化財修復・保護の過程では、現代科学技術を使った分析・検査・測定がなされている。例えば、書画などの文化財の修復過程では、現代的な検査機器による測定・分析が必要であり、破損、欠落、シワ、破れ、カビ、汚れ、変色、盛り上がり、癒着などさまざまな問題に対し、適切な治療法が確定される。さらに刺繍類の文化財の修復過程では、現代的機器の助けを借りて、肉眼では見えないカビを数十倍、数百倍に拡大し、カビの成長状態を見る。

今回設立された「故宮文化財病院」は、三百六十一メートルもの長さがある二列の建築で、外観は伝統建築の姿をしているが、内部は一万三千平方メートルの現代的な作業場となっていて、地下通路によって地下文化財倉庫とつながり、文化財の移動を安全なものとしている。「故宮文化財病院」の保護スタッフは二百名に拡大され、多学科融合を実現している。現在、一部の世界クラスの博物館で三十名、四十名の文化財修復・保護スタッフがいれば素晴らしいといえるが、故宮文化財病院ではどうして二百名もの「文化財の医師」が集められたのか？　実際にはこうした「文化財の医師」は半数以上が自然科学研究を専門とする人たちで、彼らは収蔵品の分析・検査により、破損個所の特定を行い、分析研究報告がなされ、文化財修復プランが決定される。

これと同時に、故宮文化財病院にはさらに先進的かつ文化財修復に適した精密機械が配備され、エネルギー分散型X線分析装置、波長分散型X線分析装置、レーザー誘起ブレークダウン分光装置、X線回折装置、赤外分光光度計、顕微レーザーラマン分光測定装置、近赤外線分光装置、紫外可視分光光度計、熱分解ガスクロマトグラフ質量分析計、超臨界流体クロマトグラフィーなどの分子構造分析機器、環境リアルタイム測定システム、キセノンランプ劣化試験ボックス、常温常湿劣化試験ボックス、全自動動粘度測定システム、光ファイバースペクトロメーターなどの環境・虫害・老化試験機器、熱分析 TG/DTA 同時測定装置、熱膨張計、熱物性測定装置、衝撃試験機などの熱性能・物理性能試験機器、そしてナノマイクロフォーカスX線透過検査装置、汎用型文化財CTシステム、光切断形状計測装置、ハイパースペクトルイメージングシステム、マルチスペクトルイメージングシステムなどの非破壊スキャン・測量機器、走査型電子顕微鏡、３Ｄ計測デジタルマイクロスコープ、共焦点レーザー走査型顕微鏡、さらには偏光顕微鏡、金属顕微鏡、生物顕微鏡、実体顕微鏡などの顕微観察機器設備、そして3Dプリンター、サーモルミネセンス測定器など百台近い機器が配備されている。

さらに例を挙げてみよう。古書画表装・修復の方面で、故宮博物院はずっと業界内で最高レベルにあったが、今日では難しい問題にぶち当たったとき、より多くの修復手段がある。例えば近年ずっと保護・修理が続けられている乾隆花園で最も高い建築物は符望閣で、ここの壁にはかつて大きな絵があり、七十年前の解放戦争時代にこの絵が剥落したため、当時の職員がこの絵を包んで保護した。七十年後の今日、修復しようとして開いたら、この絵はすでに粉々に砕けてしまっていた。しかしコンピュータの助けを借り、文化財修復専門家が三カ月をかけてそれをつなぎ合わせ、さらに一年余りをかけて修復を完成させた。清代の著名学者である董誥《とうこう》が描いたこのとても美しい絵は、今日見ることができるが、このようにして蘇ったものである。

河南省上蔡件県から出土したある青銅器は出土したときにはすでに二百余りの破片となっていて、研究を行うことができなかった。しかし非破壊検査機器のおかげで最大の青銅器片の銅のさびの下に二十字余りの銘文が発見され、これが先秦代の銘文をもつ春秋時代に製造された鼎《かなえ》で、極めて貴重なものであることが分かり、今では修復が完成している。

また、現在チベット・四川・青海などの地域ではいまだタンカ（チベット仏教の仏画の掛軸）を製作する人はいるが、古いタンカを修復できる人はおらず、そのために当時使われた材料や顔料、刺繍方法などを知らなければ、古いタンカが修復により現代のものとなってしまう恐れがあった。故宮博物院には二千点余りのタンカが収蔵されていて、長期的に修復・保護がなされていなかった。今日、故宮文化財病院はタンカの修復方法を掌握している。例えば、養心殿内のかつて雍正帝が昼夜を問わず上奏文に目を通していた部屋の北側に小さな仏堂があり、この仏堂の二階の仙楼には四十八枚のタンカがかかっていて、すでに二百年余り保存されており、速やかに修復・保護をする必要があった。私はいつもそのうちの三十四号タンカ、上楽王仏の修復前と修理後の対比を紹介しているのだが、修復によりこのタンカは二十五層もの堆繍《ドイシュウ》（小さな布を縫い重ねて模様を作る刺繍）がほどこされ、三十二種類の異なる材料が使われ、タンカの上には五十余りの小さな胸像があり、六百三十二粒の小さな玉が使われていたことが分かった。二十倍に拡大すると、これらの胸像の鼻、眉毛、目、口がはっきりと現れ、こうした小さな玉がどうやってつながり、どうやって並べられているかをはっきりと見ることができる。さらに百倍に拡大すると、金や銀の糸がどのように刺繍され、どんな細部もどうやって作ったかがはっきりと見えるようになる。そのため、修復過程でタンカの現状を変えてしまうことはなくなる。このようにして、今日では故宮博物院は古いタンカの修復技術をしっかりと掌握していると自信たっぷりに言うことができるようになった。

実際には最近数年間、文化財修復作業を記録した『私は故宮で文化財を修復しています』でも、養心殿の研究・保護プログラムの進展を反映させた『故宮新事』でも、すべて故宮の専門家の文化遺産保護方面における努力を見せるもので、さらには「職人魂」という言葉を理解させてくれるものでもある。『私は故宮で文化財を修復しています』の成功は、実は、故宮博物院が奥深く秘めている「職人魂」が、人々の注目を浴びたものだともいえる。

一本のドキュメンタリー作品が故宮博物院の文化財保護・修復作業を舞台裏から、人々がよく知る表舞台へあげることになった。このドキュメンタリー作品が注目を浴びたのは、文化財修復師の素晴らしい技術以外にも、器物自体に凝縮されている一代一代の専門家たちの職人魂のためであると私は考えている。博物館の文化財修復専門家は、こうした技術面での「手仕事」には、文化財や中華民族文化の至宝に対する「畏敬」が感じられると言う。どの文化財も何千何百年前の芸術家あるいは職人たちの心血と知恵を伝えるものであり、かつての人々の精神生活を知ることのできる器であり、何千何百年後の今日まで残ることは容易ではなく、そのために修復作業は少しの失敗もあってはならない。文化財保護修復師にとって、仕事を用心深く、辛抱強く、責任感をもって行い、知らず知らずのうちにより高い技術を追求し続けることが、文化財と伝統技術を「敬う心」だと言うことができる。

実際には、故宮博物院には、こうした文化財修復師のように、一日また一日、一年また一年と故宮古建築と収蔵品の保護に黙々と力を捧げている「故宮人」がもっとたくさんいる。こうした「職人魂」は一代一代の「故宮人」が蓄積し、伝承してきた精神の宝だ。

私が故宮博物院で仕事を始めたばかりの頃、文化財保護科学技術部のある専門家が漆器を修復しているのを見たが、数カ月が過ぎ、またこの文化財修復室にやって来ると、専門家はやはりこの漆器を修復中で、この修復にはいったいどれだけの時間がかかるのかと聞くと、その専門家の答えがとても印象的だった。彼は私に、北京では酷暑で湿った季節に一日二回漆を塗ることができるだけで、ふだんは一日一回しか漆を塗れず、この器は百回余り漆を塗り重ねる必要があり、それは一回でも不足するわけにはいかず、そのために数カ月かかると言った。私はこれこそわれわれが賛美する職人魂であると感じた。

紫禁城の建設時から、「職人魂」は一貫していて、その例として「様式雷」一族がある。雄壮かつ華麗な紫禁城の古建築の設計は、通常皇帝自らが派遣した親王と内閣の重臣たちが工程処を組織し、その下に設計を担当する「様式房」という部署を設け、最も優れた「様子匠」と建築師を派遣した。この様子匠が建築計画・設計、図案や立体模型の作成を担当し、施工を指導して、共同で工事施行基準についての書を編纂した。康熙帝時代から清末・中華民国初期にかけて、様式房の責任者は必ず雷という姓の一族が代々受け持ち、極めて優れた成果を残し、朝廷君臣から世間一般までの尊敬を受け「様式雷」と褒め称えられてきた。紫禁城の建築は建設であろうと、改修であろうと、屋根の葺き替えであろうと、すべて厳密な管理体制のもとにおかれ、周到かつ巧妙、考え抜かれた設計計画をもとに、設計図や模型、施工説明に基づいて施工された。故宮の大部分の古建築は、八世代二百年余りにわたる代々の「様式雷」たちの心血が注がれたもので、彼らの建築・設計の成果である。代々優れた建築技術を伝承してきたこの一族によって、このように広大で、非常に幅広い種類の卓絶した技術による傑作が誕生したのであり、中国建築史、ひいては世界建築史上、比類がない奇跡と言っても過言ではない。

『私は故宮で文化財を修復しています』のドキュメンタリー作品により、修復師が人々にとってなじみのあるものとなったものの、これを専門とする人材はとても少ない。第一次全国移動可能な文化財調査の成果によると、中国の移動可能な文化財は合計一万八百十五万点で、このうち修復が必要とされているものの割合は三七・二二%に達する。故宮博物院を例にとると、現在の修復人員が現存する文化財をすべて一回修復するとすると、さらに百年余りの時がかかる。

『私は故宮で文化財を修復しています』によって王津先生が広く知られるようになったが、かつては全国の大量の時計文化財収蔵数に対し、われわれがもつ時計修復技術力はかなり薄弱で、人材もかなり不足していた。故宮博物院は二千二百点余りの古時計を収蔵するが、時計修復技術をもつ人材はわずか四人だった。無形文化遺産の保護において最も重要な措置とは、こうした優れた文化遺産の共有価値を十分に発揮させ、有力な伝承者を育成し、より多くの人にこの遺産の保護に参加してもらうことだ。

私の理解によると、職人とは「技術をもち仕事を行う人」であり、それに「魂」がつくと、価値観や思想・文化の領域に入ってくる。職人魂は伝承が必要だが、どのように伝承していくのか。ドイツや日本にも学ぶに値する経験があり、私は一九八〇年に日本に留学し、四年後に帰国して仕事についたが、そこで学んだ内容の中に職業教育というものがあった。職業教育を重視することによ

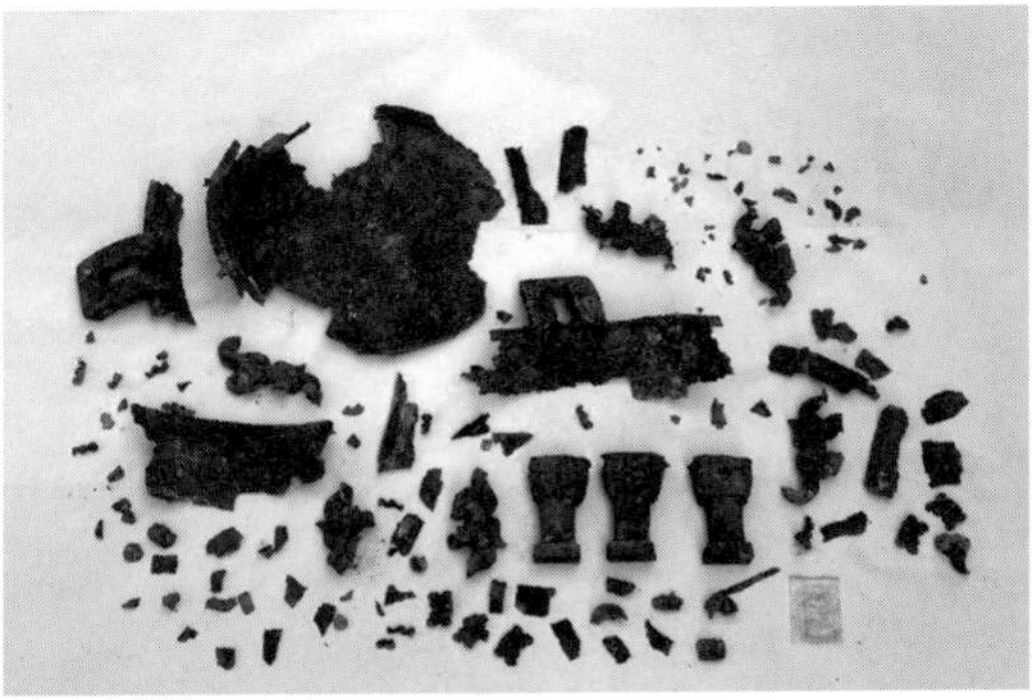
河南省上蔡県で出土した修復前の春秋昇鼎

河南省上蔡県で出土した修復後の春秋昇鼎

り初めて一代そしてまた一代と伝統文化が整理・伝承され、社会において職人魂を尊重する素晴らしい気風が形成され、それにより職人魂がより多くの成果を発揮することができ、今日の人々の現実生活の中で常に体現されて、人々の生活に絶えず恩恵を及ぼすようになると私は理解している。

故宮博物院の多くの高齢の職人たちは、指導者の地位にあるわけでもなく、定年になったら退職せねばならず、再雇用もできず、院にいる修復技術伝承者は一人また一人と去っていった。彼らが育成した後継者はほとんどが周辺地域の出身者で、北京の戸籍がなく、そのために故宮博物院で働くことができなかった（訳注：中国人の戸籍は、農村戸籍（農業戸籍）と都市戸籍（非農業戸籍）に分けられており、特別な許可がない限り戸籍のある地域以外で就職することができない）。また、瓦職人や大工になろうとする北京籍をもつ若者は多くない。二〇一五年、故宮博物院と北京国際職業教育学校は協力して、初の文化財修復・保護コースを開設した。故宮博物院修復専門家が主な教授陣となったが、学歴による制限のため、この専攻の卒業生が故宮博物院に入って文化財修復に従事するのはやはり難しかった。この局面を変えるために、二〇一七年五月、北京連合大学・北京国際職業教育学校・故宮博物院は共同で文化財保護と修復コースの高級技術技能人材一貫教育テストプロジェクトの許可を獲得した。三十名の北京籍の中卒生が故宮の専門家の熱心な指導の

文化財の保護・修復（二〇一四年八月十三日）

下で学び、学び終えると大学卒の学歴を得られるというものだ。

李克強総理は二〇一六年の政府活動報告の中で、「職人魂」の育成について取り上げている。これはとても鮮明なメッセージであり、積極的な誘導でもある。「職人魂」はある種の時代の精神気質を表すもので、向上に向上を重ね、細部まで気を配り、完全な美と極致を追求するものだ。大国の職人魂の「鋳造」には、各業界の強力な支持が必要とされる。「職人魂」は中国が古来よりもつ民族精神なのだ。文化・クリエイティブ製品の研究開発にも、中国の伝統文化の「職人魂」が必要とされている。

今日の故宮博物院は、「職人魂」を各分野に浸透させ、単に利益だけを追求する浮ついた心を捨て去って、文化財の背後にある人文的情緒と芸術的造型、時代の精神を、広く観覧者や社会大衆の心の中に植え付けねばならない。

「職人魂」があるからこそ、六百年の紫禁城はいつまでも老いることなく、若いままでいられる。次の六百年、さらにもう六百年先まで、われわれの故宮は永遠に古く活力をもつものとなるだろう。また、故宮博物院の職人たちが「一度選んだ職業は一生貫き通す」がために、故宮は人々の心の中で永遠の故宮であり続けるのだ。

第五章

管理改革――斬新な観覧体験を

故宮の地図上の未開放地区がみるみる間に小さくなり、きっちり閉じられていた門が一つまた一つと開かれ、静かなたたずまいの建物が目に飛び込んでくる。二〇一四年、故宮の開放地区は五二%にまで増え、二〇一八年にはこの数字は八〇%に近づいた。

一～三月は故宮博物院のオフシーズンで、かつてはこの季節には毎日二、三万人しかやって来なかった。二〇一九年一～三月には「賀歳迎祥――紫禁城の年越し」展覧を行って、連日入場者数は八万の上限に達した。

多くの人が以前に故宮博物院に来たことがあり、変化があるはずもないので、もう一度来ることはないと思っていたが、今では開放地区がどんどん増えて、豊富多彩な展覧も行われているので、再び故宮博物院にやって来ている

より良い観覧サービスのために

故宮を観覧していると、いつでも「人が多い」と思わざるを得ない。多くの人がやって来ることは、故宮博物院の受け入れ能力と受入れの質の厳しい試練となる。近年、故宮博物院は世界でも入場者の増加が最も速い博物館となっている。二〇〇二年に入場者数が初めて七百万人を突破したが、二〇一二年、私が故宮博物院で仕事を始めた年には、故宮博物院の入場者数は千五百万人を突破し、十年間で二倍となった。故宮博物院は世界で唯一、毎年の入場者数が一千万人を超える博物館となっている。

それに対し、故宮博物院の入場者にはさらにとても大きな特徴があり、それはシーズンによる差が大きいことだ。オフシーズン（十一月一日〜翌年三月三十一日、春節休暇は除く）には毎日の入場者数がふつう二万人ほどであるのに対し、オンシーズン（四月一日〜十月三十一日）、特に五月や十月の長期休暇中には毎日の入場者がしばしば八万人を超え、時に十万人余りに達する。故宮博物院で最も入場者数が多かったのは二〇一二年十月二日で、その日一日で十八万二千人の入場者があった。

入場者数が急速に増えたことは、六百歳を迎えた「高齢」の紫禁城古建築と故宮博物院の所蔵品の安全に対する大きなプレッシャーとなり、同時に見る側の印象も大きく割り引かれ、さらには倒壊などの事故も日々増大し、故宮博物院のビジターサービスや受け入れ態勢にも大きな試練を課し、保護任務は極めて重要なものとなった。

このため、われわれは多くの対応措置をとった。例えば、「閉」と「開」で、閉館日を設け、開放空間を増やした。そして、「分」と「限」で、時間ごとのインターネット予約システムをとり、毎日八万人という上限を設けた。こうした措置はある程度、効果があったといえるだろう。当然、近年故宮博物院の影響力が大きくなっているため、全社会からの注目もますます高くなっていて、入場者数もここ数年わずかに下がった後にまた「安定的に上昇」の傾向がみられ、二〇一七年に故宮博物院の入場者数は千六百七十万人に達し、世界一となった。同じ年のフランスのルーブル美術館の入場者数は八百三十万で世界第二位であったが、故宮博物院の入場者数の半分に過ぎなかった。

多くの人が以前に故宮博物院に来たことがあり、変化があるはずもないので、もう一度来ることはないと思っていたが、今では開放地区がどんどん増えて、豊富多彩な展覧も行われているので、再び故宮博物院にやって来ている。

ここで私が言いたいのは、博物館は「物が中心」から今日の「人が中心」にまで発展し、人々の観覧体験はすでに博物館の成功・不成功のカギを握る要素となっているということだ。サービス対象者を中心に、われわれはここ数年かなり多くの仕事をしてきて、より多くの人により良いサービスを提供するため、「管理改革」を行っていると、まったく誇張なしで言うことができる。

「閉」と「開」——閉館日の設定と開放空間の増加

国内外の博物館には休館日があり、それは一週間に一日だったり、一カ月に二日だったりするが、これは日常メンテナンスや職員全体の休みのためにいいものだ。しかし、故宮博物院は長期的に「三百六十五日全天候開放」の博物館と呼ばれていた。以前、故宮博物院はやはり三百六十五日開放されていたが、毎年旧暦の大みそかの午後と正月一日の午前中だけは閉館していた。また人々が見学しているために、展示室や展示ケースは検査や修理ができず、サービス施設もすぐにメンテナンスできず、サービス人員の研修を行う時間もなく、多くの問題が山積し、早急な解決が必要であ

故宮博物院は月曜日の閉館日に正式な消防訓練を行った（二〇一四年一月六日）

月曜日は一日中休んで、文化財の保護や整理を行う（二〇一四年一月二十日）

った。われわれ全職員が「フル回転」していて、故宮博物院の同僚たちはビジターサービスや社会奉仕に多くの苦労を重ねていた。

故宮博物院は二〇一三年一月一日から、毎週月曜午後（国家の祝祭日は除外）の半日休館を試行し始めた。毎週月曜午前八時半に開館し、昼の十二時に閉館し、十一時にチケット販売が終了する。これにより故宮博物院のさまざまな仕事が秩序だって進むようになった。われわれがこのように決めたばかりの頃、一般大衆の理解を得られないのではないかと心配し、メディア説明会を開いてこの措置の目的を説明し、故宮が閉館を実施した後の仕事の状態を知るために現場に取材に来てほしいと要請し、多くのメディアからの支持を得た。

毎週月曜日午後閉館が試行されてから一年後、故宮博物院は二〇一四年一月一日から、法定祝祭日と夏季以外、月曜日の全日閉館を正式に実施した。この措置は社会各界の理解と称賛を得ることができた。

閉館措置により、全面的に「平安故宮」工事を推進し、古建築と収蔵品の安全と健康状態を保ち、より多くの空間と時間を獲得できるようになった。短い「休養」は、実質的に故宮の文化財の寿命を延ばすことにもつながったのだ。

閉館の一日は、開放地域の古建築や展示品を一息つかせることになる。「人は休み、馬は休まず（馬とは設備のこと）」という俗語は、急いで仕事を完成させる状態を指しているが、故宮博物院は「馬は休ませ、人は休まない」という状態であるべきで、そのためにわれわれは「馬」、すなわち貴重な文化財や建築、展示品を休ませる必要があった。閉館の一日は文化財専門家が邪魔をされない状況のもとで保護を行うことができ、開放部門や警備部門の従業員は来院者の安全を守り快適でより優れた観覧環境をつくるため、開放地区の設備の修理や整理をすることができる。このため、故宮博物院の各部門では閉館日をとても大切にし、職員研修や開放地区の整備、展示室内のメンテナンス、文化財・展示品の科学的保護、開放地区内のプレハブ小屋撤去などの作業を行い、最前線の管理員や職員に系統的な研修を行い、多くの職員の一年中緊張状態にあった身体と心を休ませた。

故宮の仲間たちが長年待ち望んできたことが、とうとう現実になったのだ。

私は初めての一日閉館日のことを覚えている。その日、われわれは「平安故宮」工事の安全研修を行った。

閉館の一日の時間はとても貴重で、無駄にはできない。われわれは真剣に考え、緻密に計画を立て、うまく組織・実施する必要があった。どうして初めての閉館日に「平安故宮」工事の安全訓練を行う必要があったのか？　なぜなら、安全は故宮の命綱であるからだ。来院者の安全、古建築の安全、収蔵品の安全はずっとわれわれにとって一番大切なことで、任務は極めて重要で、極めて巨大でもあった。方向性が解決法を決め、どのように安全上の壁を築き、弊害を取り除くかは、みんなの智慧とコンセンサスが必要で、さらには統一された自覚的な行動が必要とされている。われわれが「馬を休ませ、人を休ませない」を実行しようとしていたのが分かるだろう。

「閉じる」試みと同時に「開く」措置も行った。すなわち、以前と比べると、かなり多くの地区を新たに開放したのだ。

二〇〇二年、紫禁城の開放面積は約三〇％であったが、二〇一二年の時点でこの数字は四八％にまで増えた。開放されていないところは倉庫や故宮博物院の事務所として使われていたためで、長期的に外部の組織の事務所となっている場所もあった。われわれはもっと多くの地区を一般開放すべきだと考えていた。なぜなら、それが故宮を知り、理解するための効果的な措置だからだ。特にこうした建築を文化財をテーマにした展示館として利用することで、より多くの人が故宮の文化財について知り、故宮の博物館としての属性を知ることができる。これはまた、「分散」の効果的な方法でもあった。今まで、故宮にやって来た人の多くが中軸線上に集中し、両側にある建築や展覧に注意する人は少なかった。過去の統計では八割の人が故宮に来たという事実に満足し、故宮博物院の展覧を見ずに出て行っていた。これにより、中央部分が混み、古建築や文化財の安全と来院者の安全にマイナスの影響を与えた。より多くの地区を開放することで、合理的に人の流れを分散し、求めるものが異なる人を異なる地域に導くことができる。当然、これはわれわれの積極的で力強い宣伝により、初めて効果が発揮される。

ここ数十年ほどの間、開放地域拡大のため、故宮博物院は大きな努力をしてきた。われわれは一部の外部組織に故宮から出ていってもらい、自分たちの事務室も古建築から引っ越して、一部の地上にあった倉庫内の文化財を移転させた。鄭欣淼院長の着任当初から、われわれは故宮の古建築全体の補修保護工事を始めていたが、これはすべて開放地区拡大の前提となった。とうとう、みんなの奮闘のもとで、故宮の開放面積はここ数年顕著に増え始めた。

二〇一四年から、故宮博物院は一つひとつ、ずっと固く閉じられていた門を開き、慈寧宮、寿康宮、午門雁翅楼、故宮の城壁、南大庫、延禧宮など、ますます多くの地区が一般開放されるようになっていった。

隆宗門が開かれ、故宮の西部地区が初めて開放された。この地区は今まで開放されたことがなく、とても神秘的なところだった。かつてここには皇帝の母親たちが住み、彼女たちはここに仏堂や庭園などを造った。中でも最大の宮殿が慈寧宮で、明代の嘉靖帝が母親である皇太后の寝宮として建てたもので、とても大規模で、現在ここには五つの彫刻・塑像展示室があり、故宮博物院彫塑館となっている。

慈寧宮の西側にある寿康宮も同時期に開放され、開放初日に「甄嬛《しんけい》（雍正年間の後宮を舞台にした中国の人気テレビドラマ『宮廷の諍《いさか》い女《め》』の主人公）」が住んだ場所だと言って、多くの若者がやって来た。実際には寿康宮に一番長く住んだのは乾隆帝の母親で、崇慶皇太后はここに四十二年間住み、故宮博物院の宮廷史専門家の詳細な研究によると、崇慶皇太后が住んでいた時に使っていた家具や道具、装飾品すべてが再現されているという。

乾隆帝は親孝行な息子で、宮廷に居さえすれば、毎朝母にあいさつにやって来て、その場所が寿康宮の東暖閣だった。乾隆帝が当時見ていた室内の情景は、今日一般開放されている室内の情景とまったく同じであったに違いない。

午門雁翅楼はかつて文化財倉庫として使われていた。後に中から文化財を運び出し、雁翅楼の修理を行った。外観はもとの姿を維持しているが、内部は世界最大規模の博物館臨時展示室となり、世界のいかなる貴重な文化財も展示できるものとなった。雁翅楼では開放されてから今まで、何度も大型展覧が行われている。

われわれは故宮の城壁も開放した。城壁の上を歩いてみるとまったく異なる感覚を抱くだろう。紫禁城内の景観も見えるし、外の景色も見えるからだ。城壁に沿って歩くと、今まで遠くから眺めて写真を撮ることしかできなかった角楼にも入ることができるというおまけ付きだ。角楼の中では二十五分間のバーチャル・リアリティー映像が放送され、それを見ると一万にものぼる木片を、ほぞとほぞ穴構造によって、どのようにして三重屋根の七十二本の棟をもつ美しい角楼建築に組み立てることができるか、知ることができる。

われわれは武英殿南側にある南大庫も開放した。故宮博物院が現在所有する明清代の家具は

寿康宮の原状陳列（二〇一五年九月十一日）

故宮博物院は正式に月曜日全日閉館を施行し、太和殿の文化財保護を行った
（二〇一四年一月六日）

六千二百点余りで、数からいうと世界一であり、年代は明の永楽帝時代から清の宣統帝時代までで、中でも清代の宮廷で使われていたものが主となっていて、清代家具のうち、乾隆帝時代の家具の数が最も多い。以前にはこうした貴重な家具はずっと宮廷の奥深い倉庫の中に眠っていて、外部の人に知られることはなかった。実際、大部分の家具は長期的に九十余りの倉庫の中に山積みになっていて、ずっと前に倉庫に入れられて以来出したこともなく、風を通すことも、修復も、研究も、展示もできずにいた。時には倉庫の中の家具は最高で十一層にも積み重ねられ、保管条件が良いとはいえなかった。こうした情景を見るたび、私はこれらの文化財がなぜずっと倉庫に押し込められていなければならないのかと思わざるを得なかった。実際には、展示されることでしか、きちんとした修理や保護はできない。人に見られることではじめて、これらの文化財はそれらがもつべき尊厳を得ることができるのだ。そのため、南大庫を宮廷家具専門の展示場とする計画がたてられた。三年の準備期間を経て、現在の南大庫はすでに現代的な文化財専用展示室となっている。一つ目としてセット家具展示が行われ、宮廷礼制や帝王の生活に関する宮廷家具を展示して、間近で鑑賞できるようになっている。二つ目として情景式家具展示が行われ、書斎・音楽室・庭園などのテーマ別に情景デザインをして、異なる文化空間を形づくった。三つ目は収納式家具展示だ。収蔵展示は、在庫プレッシャーを緩和させ、展示面積を拡大し、文化財展示数を増やし、在庫文化財により多くの展示機会を与える効果的な手段だ。南大庫の収納式展示により、古建築のより良い修復・

故宮家具館の内部

故宮家具館の内部

保護と合理的利用が可能となるばかりか、家具文化財を整理・保護・展示し、人々に宮廷家具の材料についての研究、デザインの美しさ、内容の豊富さを鑑賞させて、故宮に行ったときに行くべき新たな見どころをまた一つ増やすことになった。

故宮博物院の開放区域は、例えば近年人々の視野に入りつつある延禧《き》宮区域など、今でも拡大を続けている。延禧宮は歴史上、たびたび落雷や火事で焼け落ち、最後の一回は道光年間であった。そのため、ラストエンペラー溥儀はここに魚を観るための西洋建築「水晶宮」を建て、火災を避けるために建築主体には金属を使い、壁と床に大量のガラス材料を使い、建築の周囲には池をめぐらした。

しかし工事開始から間もなく、溥儀は退位を余儀なくされ、工事は停止し、北京地区で最古の建築途中で廃棄された「幽霊ビル」となり、故宮ではめずらしい中国・西洋文化折衷の景観が残された。この景観環境を利用するため、故宮博物院は外国文物館を設立することにした。故宮博物院は世界各地の貴重な文化財も数多く収蔵しているからだ。外国文物館が建造された後に、外国の素晴らしい文化財も人々の目を楽しませている。

ここ数年、故宮の中の「立ち入り禁止」区域がどんどん減少していることに皆様はお気づきだろうと思う。故宮の地図上の未開放地区がみるみる間に小さくなり、きっちり閉じられていた門が一つまた一つと開かれ、静かなたたずまいの建物が目に飛び込んでくる。二〇一四年の故宮の開放地域は五二％に増え、二〇一五年は六五％、二〇一六年には七六％にまで拡大し、二〇一八年には八〇％近くに達して、二〇二五年の故宮博物院創立百周年の頃には、この数字が八五％を超えていることをわれわれは願っている。

「分散」と「制限」
――ピークシーズンは混まず、オフシーズンは閑散としない

今日、世界の博物館あるいは世界文化遺産の中でも、故宮のように試練となる管理課題を多く抱えているところはないかもしれない。同様に毎年迎え入れる人がこれほどまでに多い博物館はないだろう。近年、故宮博物院は世界でも入場者数の増加が最も速い博物館となっている。二〇一三年、月曜半日閉館などのために少し減少したものの、千四百五十六万もの人が訪れ、二〇一四年にはまた上昇に転じている。故宮博物院にとって、入場者数に関する最大の問題は、一つはその数がどんどん増えていることで、もう一つがピークシーズンとオフシーズンの差が顕著であることだ。

入場者数の月別グラフでは、毎年ほとんど同じ「二つの針と一つの峰」というパターンになっていて、それはすなわち、五月と十月の長期休暇が二つの針となり、夏休みが一つの峰となっているということだ。

つまり、故宮は長期休暇中に混み合うのが通常で、御花園は一方通行に改めなければならず、時には一つの宮門を抜けるのに、のろのろと五分もかかり、本当に「宮門をくぐるともはや大股では歩けない」という感じだ。故宮博物院の入場者が際限なく増え続ければ、世界文化遺産である文化財も古建築群もすべて耐えられなくなり、やって来た人たちも快適な見学ができなくなり、しばしば迷子にもなるだろうし、もっとひどい時には将棋倒しなどの事故発生の可能性もある。二〇一五年一月、われわれはたびたびの入場制限に失敗した後、再び入場者数を毎日のべ八万人を上限とすることに決めた。当時われわれはそのために発表会を開いて意見を求め、その席上で私は、入場制限は混雑緩和のために過ぎないと説明した。もし入場者が八万を超え、九万、十万ともなれば、人

だらけとなり、行列して前に進み、後の人は前の人の後頭部を見ることになり、それではわざわざ来た甲斐がなくなってしまう。

あるメディアは、「どうして入場料金の引き上げにより、入場者数を減らすという措置をとらないのか」と聞いた。本当のことを言うと、入場料金の引き上げは考えないでもなかったが、世界にたった一つしかなく、素晴らしい文化内容・資源をもつこの博物館が、オフシーズン一人四十元、オンシーズン六十元の入場料を百元に引き上げても、人は高いと思わないだろうし、来る人が減ることもないだろう。けれど、入場料引き上げにより低所得者が故宮に来れなくなるのは、われわれにとって不本意なことだ。あるとき、われわれは甘粛博物館で調査研究をしたが、そこで大学生たちが真剣に解説の文章を引き写しているのを見た。彼らとしゃべってみると、この学生たちは観光学科三年の大学生で、三十五元の入場券を節約するために、イベントがある時に初めて博物館に入ったのだという。これらの大学生と同様に考える人はたぶんとても多く、入場料引き上げのために彼らを故宮博物院の外に締め出してしまうことはできないと私は感じたのである。

このため、一日の入場者数を制限する方法を最終的に選択したのだ。

二〇一五年六月十三日、中国で十回目の文化遺産デーに、故宮博物院は毎日の入場者数をのべ八万人に制限するテストを行い、それにより故宮博物院の安全、すなわち入場者と古建築と所蔵品の安全を確保して、全面的に入場者数の科学的管理と理性的コントロールの基礎をつくりあげようとした。これと同時に、故宮博物院は全面的に実名制チケット販売を行い、旅行会社の団体旅行はすべてインターネットでチケット予約を行い、現場での団体券販売を取りやめ、入場者にあらかじめインターネットで入場券の予約を行うよう呼びかけ、インターネット予約のチケット販売数の割合を段階的に引き上げていった。

故宮博物院の八万という入場制限の目的は、入場者を制限することが目的ではなく、入場者の観

故宮のQRコードによる検札システム
（二〇一四年九月一日）

故宮博物院は完全なインターネットチケット販売を実現した
（二〇一七年十月八日）

覧の安全性・秩序性・快適性を全力で守り、制限によって秩序だった観覧と良質な博物館サービスを受けられるようにするもので、これもまた故宮博物院の管理の緻密化の目的と意義である。八万人の入場制限とインターネットチケット販売は、今後の緻密化管理の初歩的な成果となるだけでなく、今後のさらに緻密化した管理の基礎となることだろう。

故宮博物院は二〇一五年には入場制限を三十二回行い、二〇一六年には四十八回、二〇一七年の夏休みと長期休暇期間にはいつも八万の人数制限措置がとられた。ピークシーズンと祝祭日は入場制限によって入場者数は減ったが、年間の入場者数はやはり逐年増えていて、二〇一六年には初めて千六百万人を突破し、二〇一七年には千六百七十万人、二〇一八年には千七百五十四万人、二〇一九年には千九百三十三万人に達した。しかし、一日当たりの入場者数は基本的にコントロールされており、「ピークを削ぎ、谷を埋める」役割を十分に果たした。入場制限により、観覧秩序も劇的に改善し、観覧体験や環境も著しく向上して、「オンシーズンでも混まず、オフシーズンでも人が来る」ようになり、入場者と古建築と収蔵品の安全がさらに保障され、期待どおりの結果となった。

入場制限と同時に、われわれは分散措置の推進にも努めている。ここにおける分散とは、入場者を一日あるいは一年の異なる時間・時期へ分散させるということだ。具体的にいえば、ピーク期のある日、ある一時期の大量の入場者をオフシーズンへと導く、ある一日のうち、ある時間帯に集中する入場者を別の時間帯へと導くというものだ。

われわれはオフシーズンも同様に展覧をしっかり行っていて、教師無料デー、医療従事者無料デー、清掃作業員無料デー、バス運転手無料デーなどの一連の無料開放日も設け、さまざまな人たちに観覧してもらっている。しだいにオフシーズンの故宮博物院もとてもいいと人々は感じるようになり、オフシーズンを選んでやって来る人もどんどん増えている。

一～三月は故宮博物院のオフシーズンで、かつてはこの季節には毎日二、三万人しかやって来なかった。二〇一九年一～三月には「賀歳迎祥――紫禁城の年越し」展覧を行って、連日入場者数は八万の上限に達した。特に嬉しかったのは、そのうち五〇%が若者だったことだ。

古い紫禁城、開放から百年近く経った故宮博物院が、今では若者が喜んで行く場所となったことに、私はとても満足を覚えている。多くの若者が早朝から申し合わせて故宮博物院にやって来て、豊富多彩な展覧を興味深く見て、魅力あるイベントに参加し、閉館の時間になってようやく去っていく。私はこれこそ博物館がもつべき文化的情景だと思う。

デジタル化・インターネット化技術の発展が、入場者の分散と制限を支えている。二〇一一年九月二十五日、故宮博物院はインターネットチケット予約販売テストをはじめたが、当日の入場券予約はわずか二百八十七枚だけだった。

二〇一一～一四年、年間のインターネットチケット販売数はずっと二%前後だった。二〇一五年六月に入場者の八万人の上限と実名でのチケット販売制度が試行され、二〇一五年の年間のインターネットチケット予約販売数は一七・三三%だった。二〇一六年にはその数は四一・一四%にまで増えた。二〇一七年七月から故宮博物院は全面的に入場券のインターネット販売を開始し、インターネットでの当日券販売と現場でのスマホスキャンによるチケット購入がスタートした。二〇一七年の十月の長期休暇期間中、故宮博物院は初めて全面的なインターネットチケット販売を実現した。

その後、故宮博物院は正式に「博物館の全面的インターネットチケット販売」時代を迎えた。効果的に全面的インターネットチケット販売を実施するため、故宮博物院は事前の準備段階で、付属システムや設備のアップグレード改造を行い、多様なチケット購入方式を研究・開発し、事前の数カ月間、現地でチケット購入についての指導を行い、逐次オフラインチケット購入からオンラインチケット購入への変化を実現していった。同時に故宮博物院は、現地でのチケット販売事務の解決案も制定し、入場者はその場でスマホのコードスキャンでチケットを購入することもでき、現地のチケットサービスカウンター、総合サービス窓口などでチケット購入の手助けを受けることもできる。

故宮では現在、全員のインターネット予約を実行し、現地でチケットを売る今までの方法から別れを告げた。毎日八万の枠があり、その日がいっぱいになれば、他の日にちを選べ、これは「波の山の高さ」を決めるのと同じであり、予約ができなかった人をオフシーズンや相対的に予約が少ない日にちに分散させることになった。これと同時に予約の画面では当日の午前と午後を選ぶことができ、比較的人が集中する時間を分散させることにつながった。また、インターネット販売で一日あたり八万人という上限を設けた後には、以前のような祝祭日に人の海となり、長い行列ができるというようなことが起きなくなった。

今後、故宮博物院は予約システムの改善を続けていく。時間帯を設けてのチケット販売などより細かい分散方法が実施された暁には、当日のどの時間帯に故宮博物院に入るかが選択できるようになり、これは故宮の観覧者を分散させるだけでなく、さらに美しい文化空間と観覧体験をつくりあげる斬新な措置となることだろう。

ビッグデータによる「トイレ革命」

科学技術の進歩に伴い、観衆サービスと管理もまた精密化の方向へと発展していった。その中でも顕著な例が「トイレ革命」だ。

長期的に、多くの人が故宮博物院の「トイレ難」に不満をもっており、特にゴールデンウィークなどの長期休暇中には、トイレの入り口には長い行列ができた。この問題は一般人からだけでなく、著名人や専門家からも注意を受けていた。

ここで一つのエピソードを紹介しよう。二〇一八年十二月十五日、私は幸いにも「中国に影響を与えた二〇一八年度文化栄誉盛典」において、「今年の文化界のパーソン・オブ・ザ・イヤー」を受賞した。黄永玉（中国画の大家）先生がプレゼンターを務めてくれたが、その際に彼は私にとても特別な問題について尋ねた。一九五〇年代、黄先生は故宮の常連客で、彼の記憶ではその当時の故宮のトイレは「流沙河（西遊記で沙悟浄が住んでいた河）」と呼ばれていた。六十年がたちまち過ぎ去り、黄永玉先生は近年、雑誌や新聞、あるいは友人が故宮博物院の新たな変化を「素晴らしい一大ニュース」と形容しているのを聞いた。彼はもう年をとり、自分で故宮を訪ねることはできないので、私に尋ねた唯一の問いとは、「故宮のトイレはどうなっているんだい？」ということだった。

この問いかけは、われわれ「故宮人」を困らせることにはならなかった。ここ数年、われわれはトイレ問題が確かに深刻であると認識しており、それは人々の貴重な観覧時間を無駄にし、観覧ムードにも影響を与えたからだ。特に女性はしょっちゅう長い行列をつくらねばならなかった。一時期、トイレの前にわざわざ「女性は並んで待ってください」とまで書いてあったが、実際には男性も悲惨であり、彼らはカバンと子どもを両脇に抱え、女性よりも楽というわけではなかった。

そのため、故宮博物院の業務チームが研究に取り組み、一つの結論を出した。女性のトイレの数は男性のトイレの数の二・六倍であるべきだというものだ。このため、われわれは院全体のトイレの増設と数の調整を行った。端門広場区域内のトイレの数が極めて不足していたので、そこにトイ

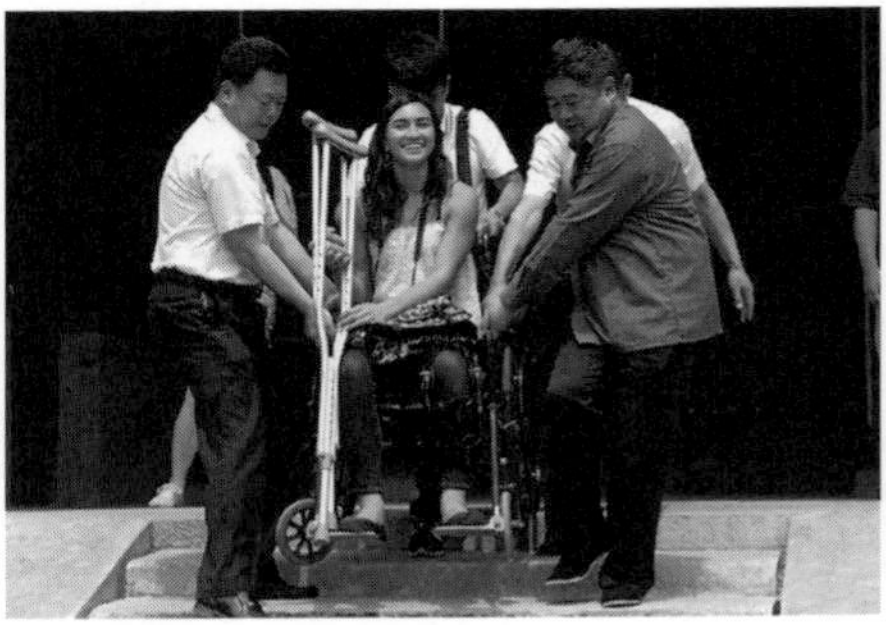

特殊なサービスを必要としている人にもサービスを提供する（二〇一五年五月十七日）

ベビールームの設立（二〇一六年七月十六日）

レを増設し、職員食堂の一つをトイレに改造して、人々の需要に応えた。ピークシーズンになると西側のトイレを女性専用として、東側のトイレの半分を男性、半分を女性とし、両側のトイレには五十メートルの隔たりがあった。現在、院全体で女性用トイレが三十五個ある。テストを行ったところ大成功で、ピークシーズンでさえトイレの入り口には行列ができなかった。緻密な管理理念があれば、昔からの難題もまた速やかに解決することができるのだ。故宮博物院の「トイレ革命」はいまだ続けられている。黄永玉先生のように故宮博物院の変化に大きな関心を持っている人が多いと思うが、故宮博物院に来て、われわれの「トイレ」をご覧になっていただければと思う。

さらにそのうえで、われわれは昨年からベビールームを設置した。しばしば赤ちゃんを抱えた母親が隅に隠れて赤ちゃんのおむつを換えたり、授乳したりしているのを見て、とても残念に思っていたからだ。空港や駅にベビールームがあるのに、博物館にどうしてベビールームがないのか？われわれは乾清門広場西側の最も良い場所にベビールームを設け、子ども連れで故宮博物院にやって来たお母さんたちにも良い観覧経験をしてもらい、尊厳をもってもらおうと考えた。こうしてわれわれはすべての仕事が管理者の利便のためでなく、やって来た人たちの利便を優先的に考えるべきだという深い体験を得たが、これを目標とすれば、解決方法は困難よりも多くなるに違いない。

さらに、故宮博物院にやって来る人の九〇％が地方からやって来ていて、故宮博物院に入った後、迷子になってしまうことが多く、道案内の標識も少なく、さらにはっきりと書かれておらず、案内板もあまり規範的でなく、指示内容も完全ではなかった。そのため、われわれは全院をあげて案内板の全面的な整備と改良を行い、古建築環境と調和するデザインに統一した。三叉路や十字路、トイレのある場所、展覧がある場所など、最初の年に五百十二枚の標識を設置し、開放地域の拡大に伴い、標識もどんどん増え、自分がどこにいるのか、行きたい場所に行くにはどっちに向かえばいいのかをどこにいても分かるようにした。デジタル技術の進歩により、われわれは電子標識も増設し、毎日最新の情報を伝えることもできるようになった。

故宮の城壁

同時に、歩いている途中で解説を聞きたいと思う人のために、われわれは自動解説機の機能を向上させた。現在、故宮博物院の自動解説機は世界でも言語種が最も豊富なものであろうと思われ、計四十種の言語があり、各国言語のほか、民族言語、地方方言などもあって、例えば広東方言・福建方言があり、さらには専門家向け、子ども向け、対話バージョンなど、自分の必要に応じて使うことができる。このほか、今日では情報を得る方法や手段も進歩を続けているため、故宮博物院では無料Wi-Fi接続サービスに力を入れていて、自分のスマホでより多くの情報を得ることができる。結局のところ、観衆サービスの努力は永遠に終わることなく、例えば今ではもう5G時代に突入しているため、どのように新技術を利用したサービスを行うのか、続けて模索する必要がある。

二〇一九年三月、故宮博物院と華為（ファーウェイ）は、共に「5G故宮」をつくりあげる戦略協力協議を締結した。主な目標には二つあり、一つが全時空・全天候の移動不可文化財・移動可能文化財の保護状況モニタリングで、もう一つが入場者により良いサービスを提供するというものだ。

近い将来には、故宮博物院に入ってスマホを開けば、今日はどのくらいの展覧があり、その内容はどんなもので、見たい展覧がどの場所で開かれていて、展示室には今どのくらいの人がいるのかを知ることができるようになるだろう。トイレに行きたければ、スマホで一番近いトイレの位置と空き状況を確認できる。お茶を飲みたければ、スマホを開いて今いくつの茶室が開放されていて、何のお茶が飲めるか、どんな新しい本を見ることができるかを知ることができる。さらには、故宮のオリジナル製品を買いたい場合、買いたい製品がどこで売っているか、在庫はどれくらいあるかをスマホで知ることができる。このように、故宮博物院はずっと人々のニーズにあったサービスを提供しようと心掛けている。

現在、ビジターサービスセンターでは、観覧に関することがらを事前に問い合わせたり、無料の地図を受け取ったり、故宮博物院の動画を見たり、タッチパネルで自分の観覧ルートを決めたりすることができる。例えば展覧を見るためのルート、古建築を見るためのルートなどだ。さらに、高齢者や障碍者用の車いす、ベビーカーなどを無料で貸し出している。

われわれがこうしたことを行うのは、すべての人々により良い観覧体験をしてほしいからで、故宮の建築や展覧、故宮の文化的アイデアなどさまざまな方面から故宮をたっぷり楽しんでほしいと思うからだ。

外国VIPの車も進入禁止

インターネット入場予約が行われる前、故宮博物院に入るのはとても大変だという印象を多くの人がもっていた。特に観光シーズン中ならば、入場券を買うために三十分、ひどい時には一時間以上も行列をして、ようやく買えると思ったら売り切れなんてこともあった。さらに、検札や手荷物検査、手荷物預けなどの面倒な手続きがあって、ようやく故宮博物院に入る頃には疲れて体力の半分を消耗しているといった具合だ。私も同様の体験をしてみて、確かに大変だと感じ、この状況は必ず変えなければならないと思った。

そこで私はチケット販売業務を見直すことにした。故宮の入場券は二十年間値上げされておらず、オフシーズンが四十元、シーズン中は六十元で、高齢者は半額、学生は二十元だった（二〇二二年現在、一元は十七〜十八円程度）。人民元には四十元や六十元のお札はないので、おつりが必要であり、それが販売速度に影響していた。当時は全面的なインターネット販売をする条件が整っておらず、販売窓口を増やすしか方法はなかった。増やした販売窓口は端門広場にあった。端門広場はかつて小型の売店に占拠されていたことを記憶されている方もいるかもしれない。故宮博物院はこうした売店を退去させ、徹底的に整理し、端門広場西側にある建物をチケット販売窓口として、窓口の数を今までの十六から三十に増やし、最も多いときには三十二に達した。こうしてわれわれはとうとう九五％の入場者が故宮博物院にやって来て三分以内に入場券を買うことができ、最も集中しているときでも十五分を超えることがないと約束することができた。私は何度も現地に足を運び観察したが、この約束は確かに果たされていた。入場券購入の時間が節約できたら、より多くの時間と精力を故宮博物院の展覧に回すことができ、これは観覧体験を良いものとすると同時に、展覧の準備に励む同僚たちの励ましにもなって、故宮博物院にやって来る人たちも大いに恩恵を受けた。

入場券購入難は解決した。続いて休憩難の問題だ。以前は端門広場に休憩場所はなく、みんな疲れたら地べたに座りこむしかなく、大きな広場には至る所に座りこんでいる人たちがいた。これは環境に影響を与えるだけでなく、前に進もうとする人たちの障害ともなり、さらには座りこんだ人たちもしっかりと休息できない。観察してみると、当時みんなが一番好んで座るのは木の根元にある穴だった。みんながゆっくりと休めるよう、われわれは二百脚の長椅子を設置した。一つの長椅子には三人が座れるので、六百人が座れることになる。これ以降、木の根元に座る人はいなくなった。われわれはさらに、木の根元にある穴を埋め、道の両脇にある五十六株の木に五十六組の木の腰かけをつくったので、さらに六百人がこれに座ることができるようになった。

故宮博物院に入った後も、同じように休憩所がないということが問題であった。例えば御花園はどこもかしこも鉄の柵があって、石が敷かれた小道しかない。疲れたらこの鉄の柵に座るか、地べたに座るかしかない。今では鉄の柵は取り除かれ、効果的に鑑賞空間が拡大され、さらに数十個の休憩用の椅子が設置された。故宮博物院内部の休憩の椅子が少ないという問題に対しては、専門チームが組まれ、故宮博物院の観覧者の多さと故宮の赤壁と黄色の瓦という歴史環境に調和する椅子と木のベンチが開発された。中でも最初の年には千四百個のベンチがつくられた。開放地区の拡大につれ、ベンチの数はどんどん増え、みんな快適そうにそこに座っている。現在すでに一万一千人が同時に様々な場所で座って休むことができるようになった。しっかり休めばみんな体力も戻り、故宮文化をしっかりと味わうことができるようになるに違いない。

端門の整備が済んだ後、われわれは午門広場の整備にとりかかった。故宮博物院の入り口になっているのが午門である。

午門の正面には三つのアーチ門があるのに、今までは入場券を買い終えた人たちは両側の小さな門から並んで入って安全検査と検札を受けていた。中央にある大門は通ることができず、ＶＩＰの車だけがここを通れるようになっていた。このようにすると両側の小門にはいつも長い行列ができているのに、でんと中央に構えている大門は通り抜けられず、この事に対する批判が大きかった。当時、イギリスのバッキンガム宮殿も、フランスのベルサイユ宮殿も、日本の皇居も対外開放され、かつＶＩＰが直接車で乗りつけることはできなかった。これは人々の権益の問題であり、文化の尊厳の問題でもあると私は考えた。そのため、故宮博物院は、いかなる自動車も午門に乗り入れることはできないと布告を出した。

二〇一三年四月二十六日、フランスのオランド大統領一行が故宮を観覧した。彼は午門で車を降りた初めての外国国家元首となり、私は迎えに出て彼に午門についての物語を語ると、彼は雄大な午門の古建築を仰ぎ見て、まだ足を踏み入れていない故宮に紫禁城の壮大な美を感じて満足し、その後、ガールフレンドを連れ、歩いて長い城門を通り抜けて故宮博物院に入ったが、こうした体験は彼が生涯忘れられないものとなったようだ。故宮を観覧することで最も重要なのは、得難い文化体験をすることだと私はずっと考えている。VIPが午門の前で車を降り、まず壮大な午門城楼を見て、そして午門を歩いて通り抜けて紫禁城に入るということの長い神秘的な感覚、前方にある風景への期待に満ちた感覚というものは、誰もがもつ心情だと信じている。彼らが午門を出て、前方に開けた太和門広場を見たときの感動は、必ずや彼らの期待に添うものとなるだろう。しかし今まで故宮博物院にやって来た外国国家元首や政府首脳は車に乗って入って来るために、得られずはずの印象を得ることができなかった。われわれは関係部門と協力し、VIPの車が午門から直接入っていくという慣例を取りやめた。今では午門の正面の三つのアーチ門はすべて一般に開放されていて、通行能力が大いに高まり、故宮博物院に入るために行列する必要がなくなったのだ。

故宮内に置かれた休憩用の椅子

さらに、検札と安全検査の過程も改善した。今までは検札は検査員が鉄の柵の中に立っていて、入場者は鉄の柵の中央から入った。安全検査は検査機械が午門の門内に設置されており、門の半分を占領していた。これにより検札で行列し、さらに安全検査でも行列することになり、ピークシーズンになると午門の内外に人がひしめくという大混乱に陥っていた。この状況を変えるため、検札の柵を取り払い、門内に置かれた安全検査機を移動し、午門広場の東西の両側に検札と安全検査施設を設置し、入口を十二倍に増やしたため、どれだけ人が来ても午門が混み合うということがなくなった。

結果として、チケット販売と検札、安全検査、そしてＶＩＰ接待方法の調整により、故宮博物院の門前広場の環境が顕著に変化した。今まで、故宮の午門広場の大きくはない空間がチケットを買う人、検札や安全検査を受ける人、荷物を預ける人でごった返し、しばしば拡声器で「誰それさんちの子どもさんが見つかりました。どこそこに迎えに来てください」などの放送が入ったものだが、故宮博物院にようやくやって来たのに子どもを見失うなんて、どんな心地がすることだろうか。でも今では八分、十分という時間だけしかかからず、よい気分のまま、体力も使わずに故宮博物院に入ることができる。

故宮博物院の開放地区の面積がしだいに拡大するにつれ、人々の観覧時間もどんどん長くなり、より優れたより多くの休息・サービス場所を提供することが必要となってきた。今まで、故宮博物院観覧の過程では、いつも室外で食事をする必要があり、あまり見た目もよくないし、衛生的でもなかった。例えば、故宮の西部地区が開放される以前、隆宗門門内にファーストフードの店があって、人々は門内に座って食事をし、衛生的でないばかりか、冬は寒く、夏は暑かった。故宮の西部地区が開放されると同時に、われわれは隆宗門内にあったファーストフード店を閉じた。しかし毎日三分の一ほどの人たちが慈寧宮、寿康宮、慈寧宮花園などの西部地区にやって来るため、その付近に新たな食事場所を選び直す必要があった。

さらに仮設建築を建てるのは文化財建築の合理的利用という前提のもとでは不可能で、われわれは研究をかさね、最終的に故宮氷窖《こう》(氷室)建築群を選択した。隆宗門外西側には低めの赤壁が建ち、その背後に四棟の古建築があって、木造ではなく、紫禁城内では数少ないレンガ・石造建築となっている。ここはかつて皇室の氷室であった。昔は冬になると、筒子河に張った氷を五十×五十センチの大きさの四角い氷に切り分け、氷室の中に運んで保存していた。どの氷室も五千個の氷が保存できるので、四つで合計二万個の氷を保存することができた。ここの壁は二メートルの厚さがあり、氷を入れた後に密封し、夏に取り出して、冷たい食べ物や室温の調節などに使ったのだ。しかし百年余りの間氷室としては使われておらず、一般的な倉庫として使われていた。

われわれの実地調査の時には、氷窖建築の中には木板とかガソリンタンクとかコンクリートとかいった建築材料が置かれていて、科学的保護・合理的利用がなされていなかった。そのため、われわれはこの建築群を修理・保護して「氷窖ビジターサービスセンター」を設立し、内部にブックバーや喫茶室、カフェ、ファーストフード店などを設けて観覧者に優れたサービスを提供することにした。氷窖ビジターサービスセンターは太和殿から五百メートルも離れておらず、同時に三百人が食事・休憩することができた。ファーストフード方式が取られているため、三十分もあれば一グループをもてなすことができ、昼じゅうで千人近くを受け入れることができる。人々はここで快適に食事・休憩をしながら、古建築の魅力も味わうことができるのだ。

同様な考え方から、景運門内の故宮の売店のプレハブ建築もまた取り壊され、御花園内の食品売店も撤去され、火災リスクを取り除き、活動空間を増やすと同時に、古建築の過去の姿をよみがえらせた。特に東長房地区に故宮の文化的環境と調和のとれた文化・クリエイティブ館を建設し、故宮博物院を去る前の「最後の展示室」とし、人々の「博物館文化を家に持ち帰る」という願いを実現した。われわれはさらに、神武門外の東西両側に故宮文化サービス区を設け、故宮の食文化、書籍文化、茶文化などの特色をその中に融合させた。ここでは故宮の入場券を買う必要もなく、閉館という制限もなく、より便利に身近に故宮文化に親しむことができる。

故宮博物院は公共文化施設であり、清潔に保たねばならない。実際のところ、広大な故宮で全面的に雑草をなくし、ゴミをなくすというのは確かに難しいことだ。しかし、故宮の隅々まできれいに整えた後には、やって来た人もそれをしっかり守ろうとし、ゴミなどを捨てることもなくなり、環境の質は大いに向上した。このようにほとんど過酷、ひいては実現不可能ともいえる基準が要求されたのにもかかわらず、故宮博物院は短期間でこのような難題を解決できた。環境は人に影響を与えることをこの実践が証明しているといえる。

氷窖レストランの内部

氷窖レストランの料理

陸

第六章

「十億クラス」の入場者がある博物館

私はインターネットでわれわれの故宮のミニブログ（中国語で微博といい、中国版ツイッターのこと）を評した言葉として、「事あるときには『上奏』し、何もなければ素顔を晒す」と書かれているのを見たことがある。事があるとき、例えば宣伝すべき展覧とかイベントの開催とかがあれば、故宮のミニブログは「上奏」し、ふだんはしきりに「さまざまな素顔を見せている」というのだ。故宮博物院のミニブログの「美しい写真」シリーズは、強烈な故宮の素顔に詩的表現を加えたもので、故宮というのは生きた城なのだということを、みんなに感じてもらうためのものだ。

みんなが見たいものをわれわれは見せます……。二〇一六年、紫禁城の初雪の写真がクリック数千四百二十五万に達した。二〇一七年の雪が降る前、皆既日食が起こり、その時私は蘇州に出張していたが、電話をかけ、「皆既日食」の写真を撮って載せたらどうだと提案したところ、翌日見てみると二千万のクリック数を記録していた。六年間の努力を経て、われわれは十種類のアプリを開発し、どれも賞をとって、メディアはわれわれに「故宮がつくったものはすべて傑作」という公正な評価を受けることになった。

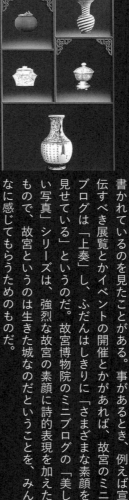

SNSでたびたび話題に

故宮博物院の影響力が拡大するにつれ、訪問者数も急速に増え、二〇一九年には史上最高の千九百万人に達した。しかし毎年故宮博物院を訪問する人たちはまだ世界のほんの一部に過ぎないことをわれわれは知っている。そのため、より多くの方法で人々に故宮の文化を知ってもらう必要がある。

二〇一一年以来、故宮のミニブログ（中国語名は微博といい、中国版ツイッターのこと）やウィーチャット（中国語名は微信といい、中国版ラインのこと）などのSNSメディアが爆発的な成長を見せている。インターネット技術の飛躍的発展とニューメディアの発展が進むなかで、故宮博物院も故宮公式ミニブログとウィーチャットを開設した。二〇一一年、故宮博物院のミニブログは始まったばかりの頃から百万にも及ぶファンを獲得した。二〇一四年、故宮博物院はウィーチャットの公式アカウント「微故宮」を開設した。「微故宮」では故宮の特色ある言葉を使い、トピックを設け、アプリ上展覧を行い、古建築や所蔵文化財、特色ある展覧の観覧のために全面的・立体的な便利なサービスを提供した。観覧に便利なだけでなく、故宮文化や文化財保護理念を伝えることにもなり、好評を博している。「故宮の公式ミニブログは、メッセージを出しさえすればニュースになるね」「微故宮は確かに多くのファンが故宮を理解するためのプラットフォームになっている」とある人は私に言った。

ニューメディアが故宮博物院と多くの人たちとのコミュニケーションの優れた手段となっていることを知ると、われわれは双方の関係を今までの一方向から双方向へと変化させた。発表する情報はどれも多くの人達に注目され、論じられ、拡散された。われわれはそこで直接観衆の反応に耳を傾け、彼らの願いを知り、調査研究や投票などの方法によりニューメディアを運営し、故宮シリーズのアプリや故宮オリジナル製品の開発に努め、絶えずサービス改善をはかっている。

故宮博物院のミニブログには、春夏秋冬それぞれの特色についてのトピックや、「この城に恋する」というトピックが開設され、子猫の「チュワンチュワン」が観覧マナーについて語る「宮猫記」シリーズの漫画がとても人気がある。故宮博物院の「猫警備員」はどの猫も名前がつけられていて、撮影者はとても生き生きとした写真を撮り、絵ハガキにもなっている。表紙をどの猫にするか？これは一般投票で決定された。

塗り絵ゲームが流行していたとき、故宮博物院はチベット風衣装や古建築などの線描画を選び、色塗りができるようにし、ミニブログで最も良く塗られた物のトップ3を選出してもらうという活動を行った。故宮出版社はこの活動の人気ぶりをみて、『彩る紫禁城』という塗り絵シリーズの書籍をつくり、とても良い売上を記録した。

二〇一五年は「二十四節気」をテーマにした『四季の紫禁城の風物』シリーズの写真を故宮博物院公式ミニブログとウィーチャット公式アカウントで次々と発表し、古くひっそりとした紫禁城を生き返らせ、大いに称賛された。

故宮の美しい景色を見たいと希望する人も多くいて、われわれはミニブログでしばしば故宮の風景写真を掲載している。二〇一六年に撮影された「紫禁城の初雪」の写真は、千四百二十五万のクリック数を達成した。二〇一七年には雪が降る前、皆既日食を迎え、その時私は蘇州に出張していたが、電話をかけて、「皆既日食」の写真を撮って載せたらどうだと提案したところ、翌日見てみると二千万のクリック数を記録していた。

もちろん、さらに大人気の『謎宮・如意琳琅図籍』がある。これは故宮が出版した初めての謎解き書籍で、中国の謎解きゲーム市場の空白を埋めるものでもあった。この本は古書の形式をとり、

紫禁城の小雨に濡れるアンズの花

中国風の謎解きコンテンツと故宮の歴史知識・文化を一体としたもので、故宮の文化知識を広める革新的な方法となった。これらの独特な革新的要素により、この書籍は出版前から注目された。二〇一八年十月二十四日、ミニブログで「故宮が神秘的な古書を出版」というツイートを出すと、閲覧数がたちまち五百万に達し、十一月十二日の段階で閲覧回数が千九百万回余りとなり、「イイネ！」が二万二千個ついた。ここからも故宮博物院ファンの文化的力量を見て取ることができる。

ネット上でわれわれ故宮のミニブログを評し、「事あるときには『上奏』し、何もなければ素顔を晒す」と書かれているのを私は見たことがある。事があるとき、例えば宣伝すべき展覧とかイベントの開催とかがあれば、故宮のミニブログは「上奏」し、ふだんはしきりに「さまざまな素顔を見せている」というのだ。さらに、あるミニブログユーザーの言葉も面白かった。それは、「淘宝（中国の人気オンラインショッピングモール）のオリジナルグッズは『萌え』を売り物にして、お金を稼いで人を養う。公式ブログは慎み深く、花のような美しさを担っている」というものだ。故宮博物院のミニブログの「美しい写真」シリーズは、強烈な故宮の素顔に詩的表現を加えたもので、故宮というのは生きた城なのだということをみんなに感じてもらうためのものだ。

みんなの故宮に対するコメントが多くなれば、故宮博物院とネット上の多くの人たちや社会大衆との極めて優れた相互作用が生まれ、故宮博物院はもはや高いところで真面目くさった顔をしている先生ではなく、しだいに身近で親密な友人のようになり、そのために故宮博物院に対する提案やアドバイスを喜んでしてくれるようになる。当然、時には鋭い批判もあり、そしてこうした批判や提案が、故宮博物院の様々な仕事をより良いものとしてくれるのだ。

ここで、われわれの舞台裏にいる英雄たち、素敵なニューメディア・チームを褒めておこう。彼らは受け手の変化の研究につとめ、伝統文化の普及方法を刷新し、公式ＨＰや公式ミニブログ、ウィーチャットの公式アカウントの開設、故宮オリジナル製品の販売などの生きたオンライン／オフライン・インタラクティブ方式で、正確に若者の興味と注目点を把握し、広く深い中華文明を趣味性の高い豊かな内容で広め、若いネットユーザーの人気をさらい、中華文明のインターネット伝播の成功例となった。この一連の実践は、博物館の文化伝播は、ネットユーザーの心理的特性と興味の特徴を真剣に研究し、柔軟性のある多様な伝播方法を探し当てさえすれば、深くて難しい内容を分かりやすく面白い内容へと変えていくことができることを教えてくれる。

当然、われわれは現状に満足しておらず、公式ミニブログと「微故宮」が成功した後も、インターネット技術の応用で多様な文化サービスと体験を提供し続け、騰訊地図（ＩＴ大手テンセント社の地図サービス）と協力して「故宮を遊び尽くす」というアプレットを開発し、ライトアプリ（ダウンロード不要のアプリ）で大故宮を遊び尽くし、「新しい方法」で「新しい人たち」とつながっている。

アプレット「故宮を遊び尽くす」は、地図の位置情報情景化サービスと実際の故宮をリンクさせたもので、手書きの見取り図で生き生きと故宮の全貌を示し、実際の建築とさまざまなサービス施設を自分のスマホの地図上に表示し、観覧時の人々の需要を全面的に満足させるものだ。地理データに基づいてつくられた情景化サービスにより、使用者のタイプや環境の変化に基づいて自動的に観光ルートを作成し、アプレットの「すぐに開けて、すぐに使え、使い終わったらすぐに消せる」という特徴を結合させて、複雑な操作もいらず、効果的に博物館サービスの方法を革新して、全面的な観覧体験の向上を果たした。

アプレット「故宮を遊び尽くす」の中では、故宮開放の注意事項や展覧のお知らせなどの重要な情報を事前に得ることができるだけでなく、さらに概況紹介や現在地探しなどの正確な地図サービスにより、全面的に故宮博物院を知ることができる。「場所検索」機能により、建築や展覧、レストランや売店、出入り口などの観覧ポイントやサービス施設へのルートを計画することができ、行きたい場所に向かう際の時間を節約し、観覧を豊かなものとすることができる。

アプレット「故宮を遊び尽くす」では特に、「パノラマ観光」「スピード観光」「ハイライト観光」など時間を節約し、観覧体験を豊かなものにするモデルルートがプランニングできるほか、お勧めの重要建築の位置を共有する機能もあり、自分の歩いたルートを記録することもでき、自分だけの行程表をつくることもできる。例えば「紫禁城で瑞祥を探す」スペシャルルートでは、位置の共有をし、「瑞獣」カードを集めると、それについてのミニストーリーを知ることができ、同時に友人とシェアして自分の遊覧コースについて話すことができる。遊び疲れたら、「大臣と会う」ＡＩスマートロボットとチャットしてもいいだろう。『清代歴朝起居注合集』と『清実録』、そして他の文献に関する六百七十個の問答を楽しむことができ、「大臣」たちは古くて新しいユーモラスな方法で、あなたの日常における小さな悩みを軽いものにしてくれるかもしれない。

出すたびに人気を博すアプリ

故宮博物院アプリは、顔面偏差値が果てしなく高い—これは無数のネットユーザーによるアプリの評価だ。

二〇一七年五月十八日、われわれの九個目のアプリ「故宮コミュニティ」がリリースされた。「故宮コミュニティ」は、博物館の新型デジタルコミュニティの模索的建設を趣旨とし、故宮博物院の豊富な文化遺産資源と現代科学技術手段を結合させ、より開放的でより面白いインタラクティブ体験を提供するもので、「故宮式」オンライン生活空間をつくりあげるものだ。

これは、故宮の情報、ガイド、建築、収蔵品、展覧、学術、オリジナル製品を含む十種余りの故宮の文化的資源とサービス形態を整理・統合した、まったく新しい形態をもつ博物館アプリで、デジタル文化サービスを模索するためのイノベーションモデルだ。

アプリ「故宮コミュニティ」の中で、ユーザーは自分の「家」を建て、自分の「故宮を」建てて、そこの主人となり、自分のオンラインデジタル生活をつくりあげることができる。「故宮コミュニティ」はしだいに完成されていくユーザー成長システムなどの方法で、ユーザーが生み出したコンテンツの双方向性と趣味性を高めていく想定となっている。さらに、文章を発表したり、他のユーザーの文章の読んでイイネ!をつけたり、任務を完成したりするとポイントが獲得でき、そのポイントや経験値を使って「自分の邸宅」をアップグレードすることができる。個人コンテンツの展示・交流空間として、伝統建築要素に基づくオンライン・バーチャルシティが再創造され、ユーザーを現代的方法により、最も古典的特色のある文化生活体験に招き入れるものだ。故宮ファンはデジタル「故宮コミュニティ」に参加することで、より多くの故宮文化知識を知ることができる。

今後、「故宮コミュニティ」はさらに多くの創造空間と面白い遊び方を増やしていく予定で、故宮文化はこのバーチャルで有機的なシステムの中で「生きた」ものとなり、絶えずより多くの価値が与えられていくことだろう。

実際には「故宮コミュニティ」は故宮の多くのアプリの一つの縮図に過ぎない。故宮のアプリは

「出せばみな人気を博す」としばしば言われる。二〇一八年、故宮が出す一連のアプリの新規ダウンロード数が百万を超え、前年同期比二二％増となった。

「故宮コミュニティ」以前に、故宮博物院はすでに八つのアプリを発表していて、広範な好評を博していた。アップルストアの年間最優秀アプリに輝いた「胤禛《いんしん》美人図」「韓熙載《かんきさい》夜宴図」、子どもたちが大好きな「皇帝の一日」「紫禁城祥瑞」、そして毎日一点の故宮の収蔵品が鑑賞できる「毎日故宮」、そして「故宮展覧」は、家を出ずして展覧会場にいるような気分を味わえる。これらのアプリはそれぞれに特色をそなえ、多くの賞を受賞している。

最も早い時期に出された「胤禛美人図」アプリは、ＤＦＡアワードのアジアで最も影響力のある優秀設計賞を受け、「良く練られた素晴らしい作品」と称賛された。「韓熙載夜宴図」アプリは大量の科学技術が使われ、合計で百の内容説明があり、十八の専門家の音声動画解説と後記があり、さらに台北の「漢唐楽府」演奏グループが無形文化遺産「南音」の演奏を描いた絵の中の楽舞を使い、新鮮で時代の最先端をいくインタラクティブ体験を提供している。

子ども向けに開発されたアプリ「皇帝の一日」は、豊富な知識を含み、すべてが緻密な考証と深い研究に基づいている。このような学術研究成果は、故宮の文化イノベーションがもつ文化の豊富性・先見性を支えるもので、故宮文化を体現し、さらには中国伝統文化の奥深い味わいを体現するものである。

アプリ「紫禁城祥瑞」は二〇一四年に最初に発表され、宮廷文化と斬新な手書き風のイラストにより人気を博し、アプリがリリースされた六月の最優秀作品と「編集者のお勧め」に選ばれ、さらに二〇一四年の年間優秀アプリにも選ばれた。二〇一八年には全面的にアップグレードした「紫禁城祥瑞ＰＲＯ」も発売された。このアップグレードにより、まず、内容がより豊富となった。龍や鳳凰、麒麟、亀、狻猊《さんげい》（獅子）、ヒョウタン、花（梅・菊・牡丹）、鶏、カササギ、ザクロ、旧暦正月、桃、タンチョウ、ゾウ、魚、オシドリなどの瑞祥からなるコンテンツがより豊富・強大となり、「瑞祥の島」づくりのコンセプトがどんどん深められ、合計百七十点余りの所蔵品が登場する。次に、文化財と触れ合い、文化財と遊び、文化財の図解で、より直感的に感じさせるようになったことだ。例えば一部の文化財は拡大するとはじめて文化財に隠された豆知識が現われるが、これは単純に文字で書かれるよりももっと直感的な説明となる。また、文化財の特徴に即した「遊び方」が、文化財をより面白みのあるものとしている。例えば懸《けん》心炉香薫では、「懸心」の構造を取り出すことができ、これをどのように転がしても、中心はずっと水平を保つことがはっきりと分かる。同じような仕掛けがアプリの至るところに隠されていて、発見されるのを待っている。三つ目は百科事典式の理解により、その美をより深く感じ取ろうとしたもので、文化財と文学という分野を越えた組み合わせで、多角的にそのイメージを表現したことだ。例えば、荘子が橋の上で魚を観た時に感じた魚が泳ぎ回る楽しさを、宋代の『群魚戯藻図』は表現している。「国艶天然、造物偏鍾賦（宋代の曹冠の牡丹を詠んだ詩句）」は、沈奎が描いた『富貴長春図』の中の黄色やピンクの牡丹を表現している。また、香炉が香りを放つ情景を、「既巻舒而縹渺《ひょうびょう》、復聚散而輪囷《りんきん》（南宋の陸游《りくゆう》の「焚香賦」の一節）」と表現している。時に古典文学は文化財が人に与える感覚をうまく表現してくれる。「紫禁城祥瑞PRO」は、知識を伝え普及させると同時に、文化財と文学によってより深い美の感覚をもたらし、芸術品を味わう能力を

「韓熙載夜宴図」アプリの発表会（二〇一五年一月十二日）

養ってくれるものなのだ。

人気アプリの「毎日故宮」はバージョン2.0が完成してアップグレードした後、ダウンロード数は百万を突破した。

二〇一六年、第四回文化遺産保護とデジタル化国際フォーラムにて、故宮製品シリーズのアプリ+V故宮」が第一回デジタル遺産最優秀実践例大会最高賞の最優秀実践賞を受賞した。これは「故宮が出すものはみんな優れている」という言葉をまさに証明するものだといえるだろう。

ホームページのリニューアルとデジタル展示室

故宮博物院には百八十六万点の所蔵品があり、毎年三万点ほどの所蔵品が展覧・展示されている。われわれはやって来た人々に豊富な「ごちそう」を提供している。原状陳列類の展覧だけでなく、建築内部のかつての姿を復元した展示、そして文化財などのテーマ展示室もあり、単一種類の文化財展示もあれば、あるテーマにそってさまざまな種類の文化財を集めたものもある。この「ごちそう」すべてを食べきることは、一日だけでは不可能で、何度も来る必要があることをわれわれは知っているが、頻繁にやって来るのが難しい人もいる。では、彼らの夢を叶える方法はあるのだろうか?

より多くの人に故宮の文化遺産を知ってもらうため、ミニブログやウィーチャット、故宮シリーズのアプリ以外にも、われわれは故宮のホームページの改良・アップグレードも行った。英語版サイトをより充実させ、青少年向きホームページをより活発化させた。これ以外にも、われわれはオンライン展覧を行ったり、デジタル展示室を開設するなど、新たな方法で故宮の展覧を見ることができるようにした。

故宮公式ホームページは二〇一七年に一度アップグレードされている。ページデザインは伝統とモダンが融合し、故宮特有の赤い壁と黄色い瓦、朱塗りの門、銅の釘などが基礎的な色彩であり、伝統紋様の装飾により古典芸術ムードが添えられ、特有の「故宮の美」が形づくられている。コンテンツ構成においても優良化が進められ、ガイド・展覧・教育・探索・学術・文化クリエイティブなどのジャンル分けがなされ、情報検索がより便利に素早くできるようになった。

端門デジタル展示館と『清明上河図3・0』が代表的なデジタル展示館だ。どちらも伝統建築の中に建設されたまったく新しいデジタル形式の展示室で、故宮に来た人は新しい形式の全面的で深い展覧を見ることができる。

端門デジタル展示館は天安門の北側、午門の南側にある端門に位置する。端門はかつてとても重要な皇室建築であり、紫禁城・太廟・社稷壇などの建築と共に、「完全な故宮」の範疇に入るものだ。われわれが午門を唯一の入り口とした後、多くの人にとって、端門は故宮博物院観覧における最初の観光ポイントとなり、故宮博物院が人々に渡す第一の「名刺」ともなった。

端門デジタル展示館は伝統建築の中にある新しい形式の展示室で、形式は違えども、従来の展示室と密接に関係している。これは「デジタル建築」「デジタル文化財」の形式により、情報時代の技術を生かし、院収蔵の貴重な文化財の中でも比較的脆弱で、展示が難しい文化財、あるいは実物展示の中では表現が難しい内容をデジタル形式で見せるものだ。ニューメディアのインタラクティブ手段により、伝統文化の伝播という需要を満足させ、同時に文化財の安全を保障し、さらには文化財への興味をかき立てるものとなっている。

展示室内には高精度パノラマ3D建築模型に基づく「デジタル模型」があり、模型によるダイナミックな表示と双方向コントロールを通して、直感的にイメージできる「デジタル立体地図」によってデジタルガイドが行われる。「バーチャルリアリティー劇場」は、高度の没入感とインタラクティブ可能なモデルにより、視覚・聴覚効果の驚きの中で、紫禁城と伝統文化の魅力が味わえる。

二〇一五年、故宮博物院創立九十周年に際して、われわれは「故宮という博物館」をテーマに第一期デジタル大展示を開催した。この展示は、「紫禁城から故宮博物院まで」「紫禁城の精華・故宮の貴重な収蔵品」「紫禁城・天子の宮殿」という三大ゾーンに分かれた完全な観覧ルートによって、故宮博物院の歴史、所蔵品、建築という三つの方面から簡潔に「故宮とは何か」「故宮には何があるか」「故宮に来て何を見るか」を紹介するもので、大きな反響を呼んだ。デジタル博物館内には一つとして本物の文化財はないが、デジタル技術によるイメージで故宮博物院の文化遺産資源を再現している。

二〇一七年十月十日、端門デジタル館第二期テーマデジタル体験展「発見・養心殿——テーマデジタル体験展」が正式に一般開放された。この時のデジタル展は引き続き「インターネット+」のイノベーション理念にのっとって、養心殿に対する専門研究の学術成果を基礎とし、さらにバーチャルリアリティー（ＶＲ）、人工知能（ＡＩ）、ヒューマンマシンインタラクション（ＨＭＩ）などの科学技術の助けを借りて、養心殿で現在行われている研究性修復保護のため、しばらく入場観覧ができない欠点を補おうとするものだ。ここでは昔の大工が屋根の桁の上、あるいは花瓶の上に細い筆で描き出した模様を間近に見ることができ、また、宮中の重臣と共に国事についての協議を体験し、「政務—文化—生活」といった活動を含む濃縮された「養心殿での一日」を過ごすことができる。同時に「発見・養心殿——テーマデジタル体験展」は、故宮博物院の研究資源や人々の好み、技術的強み、特に長年蓄積してきたデジタル化の成果を結合し、オンラインとオフラインが結合する形式としてデザインされている。

「発見・養心殿——テーマデジタル体験展」は「序言」「インタラクティブ」「体験」「回顧」という四つのゾーンに分かれている。「序言」ゾーンは、デジタル模型のハイビジョン映像により、養心殿の歴史・構造・機能などについて大まかに理解してもらうもので、「インタラクティブ」ゾーンには次のような六つの体験項目がある。「大臣の引見」は、養心殿で大臣や官僚と引見する情景をシュミレーションしたもので、観衆はスマホで「大臣」とリアルタイムでやりとりを行うことができる。「上奏文に朱筆で評語を入れる」では、養心殿内で上奏文を読み、指示を与える過程をシュミレーションし、それと同時に当時の朱筆で評語を入れた実物を見ることもできる。「貴重な文化財の鑑定」では、九十点余りを精選したデジタル多宝閣の中の四十九点の収蔵品に対し、深いインタラクティブ体験ができるものだ。「三希堂に入る」では、三希堂のかつての陳列を復元し、多宝閣の高層階にあった収蔵品を三希堂の中に並べ、三希堂内に陳列された収蔵品を「手にとって」鑑賞することができる。「御膳手作り体験」では、自分で手を動かして作ることで、御膳の製作過程や食器について知ることができる。「清代の服を着る」では、清代の宮廷服や装飾品を「試着」することができる。

「体験」ゾーンでは、VRゴーグルをつけ、バーチャルで養心殿正殿と後寝殿に入ることができ、高い没入感のある視覚体験で、養心殿に身を置いているような感覚を得ることができる。「回顧」ゾーンでは、バーチャルリアリティー劇場の中で養心殿の映像を見て、ガイドの紹介とともに、屋根の内部構造など、実際に見るのは難しい養心殿建築の細部を見ることができる。

「発見・養心殿——テーマデジタル体験展」は、さまざまな手段により人を養心殿へと誘い、歴史と対話し、歴史を体験し、歴史を振り返るものだ。バーチャルリアリティーが本物の故宮と出会い、伝統文化と新しい科学技術要素がぶつかり、融合し合って、鮮やかな火花を散らしている。「発見・養心殿——テーマデジタル体験展」は最終的に二〇一八国際文化遺産視聴覚・マルチメディア芸術祭金賞、第二回国際デジタル遺産事例コンテスト技術革新賞を受賞した。

二〇一八年、故宮博物院箭亭北側にやって来た人たちは、ここに仮設大テントができていることに気が付いただろう。これはわれわれと鳳凰衛視（フェニックステレビ）が共同で開催した『清明

三希堂に入る

デジタル養心殿

上河図3・0』ハイテク芸術インタラクティブ展である。

二〇一七年、故宮博物院は『千里江山図』を展示した。実物展示以外に、鳳凰衛視が製作した3D画像がメイン展示室の背景として使われ、人々に喜ばれた。このため、故宮博物院と鳳凰衛視は故宮博物院の所蔵品の中でも極めて伝奇的な絵巻である北宋・張択端版の『清明上河図』を選び、研究開発を進めた。この作品は最もよく知られた国宝の一つで、他に替え難い価値をもち、世界でも最もよく知られた中国の古典絵画作品でもある。この絵巻は壮大かつ繊細に宋代の都市・社会の姿を描写し、唯一無二のものと言ってよい。大きいものは広々とした郊外の野原や、さらさらと流れる川、船、橋、商店や風景など、小さいものは船上のリベットや行商人の持つ商品、広告看板の文字に至るまで、すべて絵の中に収められている。軒を連ねる茶楼、至る所にある居酒屋や食堂、船が行き交う汴河《べんが》、郊外で春のピクニックを楽しむ人たち、街の中の人波、貨物を満載した外国のラクダの隊商など、平和で賑わう街の風景が表現されている。九六〇年前後、北宋の一人当たりのGDPはヨーロッパよりも三〇%ほど高く、都である汴京の人口は百万を超え、当時世界で人口の最も多い都市であり、世界の最先端の経済・科学技術・文化をもち、その時期の中華民族の智慧もまた『清明上河図』絵巻の中に色濃く反映されていて、北宋の繁華な都市社会生活の縮図となっている。

『清明上河図』のような芸術的価値と学術的価値が極めて高い文化財に対し、いかにして原作と科学技術、芸術との関係を処理するかは、研究開発

清代の服を着る

上奏文に朱筆を入れる

チームの大きな試練となった。これは国内初の文化・芸術・科学技術が融合した方式であり、国宝クラスの絵画に再研究・開発・創造を行う極めて挑戦的なものである。この国宝クラスの文化財をめぐって、故宮博物院研究室、資料情報部、故宮出版社と鳳凰衛視領客文化・鳳凰デジタル科学技術の専門家たちは、研究開発から創造・製造の全過程に全力を投入し、同時に中国トップクラスの芸術家・文化大家・ハイテク技術開発グループを集めた専門チームを結成し、『清明上河図』独特の歴史・文化的価値を表現しようとした。

　故宮博物院研究室は学術総指導役として、プロジェクトの研究開発の全過程に参与した。故宮研究館員で国家文物鑑定委員会委員の王連起先生は何度もチームメンバーと共に表現形式を練り直し、プロジェクトの内容に一つひとつ修正を加え、学術上の正確性を確かなものとし、原画がもつ内容や味わいをしっかりと再現するものにしようとした。故宮博物院資料情報部もまた、近年の故宮収蔵品のデジタル化・情報化の豊富な経験を生かして、専門チームを助け、ハイテクと芸術との結合を助けた。

　一年半にわたる試行錯誤を経て、『清明上河図３.０』は原作の芸術的味わいと文化的内容、歴史的風貌を掘り起こし、８Ｋハイビジョン・デジタル・インタラクティブ技術と４Ｄダイナミック映像など、さまざまなハイテク・インタラクティブ芸術を融合させ、実在の人物とバーチャルが交錯し、人が絵の中に入り込むという体験をつくりあげた。

　展示館は約千六百平方メートルで、『清明上河図』の巨大インタラクティブ絵巻、孫羊店没入型劇場、虹橋ドーム型スクリーンという三つの展示室と北宋人文空間があり、さまざまな角度から最大化された没入感とインタラクティブ性のある視覚体験をつくりあげ、独創的に北宋の人文生活図絵を表現している。

観衆は音楽・楽章の連なりの中で、自ら北宋の都である汴京のさまざまな人々を眺め、絵巻の中の人物になり、行き交う船でいっぱいの汴河を渡ることができ、宋代の雅な雰囲気の中で文化的記憶が呼び覚まされる。あまりに古いために直感的に分かりにくいこうした歴史情報と芸術の精華が、『清明上河図3・0』のマルチメディア絵巻展示室で「手にとって触れられるもの」となっているのだ。

観衆はハイビジョンによりダイナミックな絵巻物の世界に没入することで、船や建物の精巧な構造を研究したり、人物の繊細な表情をはっきりと見たりでき、当時の汴京の先進性や発展レベルを感じることができる。孫羊店没入型劇場では、北宋の風情や光陰、楽曲などが、初めて三百六十度パノラマ立体空間の中で復元されたもので、窓の外には街や市場の風景が流れ動き、宋の人たちがゆっくりとくつろぎ、詩や歌を歌う声が耳元で聞こえる。喜び溢れる春雨の降る街路を歩いた後、4Dダイナミック虹橋ドーム型スクリーン劇場で大きな船に「乗り」、河の水が足元を流れ、柳の枝が顔をかすめる汴河の賑わう両岸の美しい風景を味わうことができる。外国からのお客さんにとって、『清明上河図3・0』は彼らの言語や中国の歴史文化に対する限られた知識という障害を乗り越え、直接没入体験ができ、中華文明の魅力を体で味わうことができる。

『清明上河図』ハイテク芸術インタラクティブ展示は、文化財もまた想像力と若い活力をもつ現実的存在であることを教えてくれる。われわれはこれから後、みんなが『清明上河図』について語るとき、張択端の筆による北宋の情景を思い出すだけでなく、故宮博物院と鳳凰衛視が協力して創り上げたハイテク芸術インタラクティブ展示をも思い出してほしいと思う。『清明上河図3・0』のハイテク芸術インタラクティブ展示が始まった後、故宮文化と文化遺産に対する注目度がより高まり、社会各界の故宮博物院に対する認識を新たにしたのは間違いない。

デジタル応用の多元化

デジタル故宮はわれわれの新ブランドだ。故宮博物院は優れたデジタル資源を整理・統合し、さまざまな科学技術手段を用いて、継続してデジタル故宮ブランドをつくりあげてきた。これらは観覧にやって来た人たちに文化の盛宴を準備するだけでなく、故宮博物院に来ることのできない人たちにも中国の伝統文化、故宮文化に触れることのできる新たな手段を提供するものでもある。

三年半の努力を経て、われわれは「デジタル故宮コミュニティ」をつくりあげたが、これは現在博物館界において最も強大なデジタル情報プラットフォームであると私は思っている。これは、大衆教育、文化展示、観覧ガイド、情報提供と伝播、レジャー・娯楽、社交広場、学術交流、電子商取引などのたくさんの機能をもち、新しい機能がたえず付加され、インタラクティブ機能もまたたえず向上している。

先進的なデジタル技術を利用して、われわれはさらにオリジナルなデジタル博物館を研究・開発し、故宮博物院の収蔵品の文化情報を深く掘り下げ、デジタル文化製品をつくりあげている。「デジタル地図」により、故宮の千二百棟の古建築の情報を知ることができ、千五百枚の故宮のじゅうたんについての情報も見ることができ、さらには故宮が所蔵する書道作品もオンラインで臨摹《りんも》することができる。

ＶＲ（バーチャルリアリティー）は、デジタル故宮をつくりあげるうえでのカギとなっている。この技術の研究・開発・利用により、故宮の文化資産のデジタル化応用研究所はすでに『紫禁城・天子の宮殿』『三大殿』『養心殿』『倦勤斎』『霊沼軒』『角楼』という六つの劇場環境によるVR作品、『養心殿』『御花園』という二つのバーチャルリアリティー・ヘッドセットに基づくインタラクティブ体験プログラム、『養心殿』『霊沼軒』『倦勤斎』という三つのホームページのオンライン・インタラクティブ体験プログラムをつくりあげている。絶えず新たなデジタル化の実現手段と方法を試みることで、故宮博物院の古建築・文化財およびその背後の歴史・文化知識を人々に紹介しようとしているのだ。

二〇一八年末、われわれは「V故宮」プロジェクトのもとで、「紫禁城・天子の宮殿」シリーズの七番目の大型バーチャルリアリティー作品『御花園』を正式リリースした。この作品は業界内最先端の3Dリアルタイム・レンダリング・エンジンを初めて応用したもので、紫禁城内の皇室花園である御花園に焦点を当て、3D特撮を利用して創造的に御花園の全貌を示し、御花園の一日におけるさまざまな姿を心ゆくまで見せるものだ。

『御花園』VRは御花園の建築の姿をリアルに直感的に再現しただけでなく、さらに史料研究を結合させ、かつて御花園にあった植物や動物、池や築山などからなる生態システムをリアルに再現し、御花園の中でかつて飼われていた小鹿や魚、植えられていた海棠《かいどう》の木などの動植物を復元し、直感的に御花園の歴史的風貌を再現すると同時に、生き生きとした庭園空間をつくりあげ、バーチャルリアリティーの世界で生命力に溢れた皇室庭園を再現したものだ。観衆は寒い冬でも、春の気配に溢れた御花園に身を置いているように感じる。今回の作品では初めて大スクリーンと小スクリーンが共に働きかけるという双方向視聴方式を採り入れ、さらに豊富な知識を観衆に提示し、より個性的な深い体験を提供するものとなっている。

これ以外にも、われわれは二〇一九年年初にとても人気を博した「宮中の年越し」展で、没入型デジタル技術を用いた。「宮中の年越し」デジタル没入体験展は乾清宮の東棟で行われ、デジタル

端門デジタル館の開館特別イベント（二〇一五年十二月十八日）

技術、バーチャルリアリティー映像、モーションキャプチャなどの手段を駆使して、紫禁城の伝統的で豊かな年越し文化の革新的な展示を行い、インタラクティブ体験ゾーンやオリジナル製品などでそれを補完した。展覧は「氷嬉楽園」「門神佑福」「花開歳朝」「戯幕画閣」「賞灯観焰」「納福迎祥」という六つの部分に分けられ、「賀歳迎祥—紫禁城の年越し」展という名のもとで、科学技術手段を駆使し、伝統文化コンテクストのもとでの視覚的で双方向の表現力を示した。書画・器物のなかに表現されている瑞祥や願いが、一つひとつ観衆の没入体験の中で蘇り、「故宮の年越し」というホログラフィー映像の革新的な体験をもたらしてくれる。

　長い間、われわれは博物館にやって来た人だけを対象として考えていたが、今日の「ハイパーリンク博物館」は、インターネット技術やデジタル技術によって、博物館に行くチャンスのないより多くの人を博物館の忠実なファンとし、博物館文化を享受させている。故宮博物院は時と共に歩み、常に人々の情報受容習慣と若者の文化的需要に基づいた文化・クリエイティブ研究開発を行っていて、二〇二〇年には「スマート故宮」をつくりあげる計画だ。そうすれば、われわれの博物館のサービス対象は、「一千万人」から「一億人」へと拡大するだろう。

柒

第七章

故宮を飛び出る——文化を伝える使者

今日では、故宮博物院の国際的影響力は絶えず拡大していて、ユネスコも、国際博物館会議も、故宮博物院を「世界五大博物館の一つ」としており、故宮博物院はそれに恥じないものだ。残りの世界五大博物館はどこかというと、英国の大英博物館、フランスのルーブル美術館、米国のメトロポリタン美術館、ロシアのエルミタージュ美術館である。この五つの博物館は、まさしく国連の常任理事国である中国、英国、フランス、米国、ロシアの五カ国の博物館である。つまり、立派な博物館がなければ連合国の常任理事国にはなれないともいえる。

二〇一八年、『国家宝蔵』という文化財・博物館の紹介番組に期待するものとは?」と私に問いかける人がいて、当時私は半ば冗談で「董卿（中国の人気テレビ番組『朗読者』のキャスター）を打ち負かしてほしい」と言ったものだ。今日では『朗読者』も『国家宝蔵』も、とても人気がある文化番組で、どちらも中国の優れた伝統文化を伝えるものとなっている。しかし、この二つには大きな違いがあって、『朗読者』がテレビで高視聴率を得ているのに対し、『国家宝蔵』はインターネットでよく視聴されていて、互いに補完し、ウィンウィンの関係にあると私は考えている。

一般家庭に入り込む

故宮博物院に行って展覧を見る以外に、故宮や中華文化を理解してもらう方法はあるのだろうか？　答えは、「ある」だ。近年、故宮博物院はテレビ番組やドキュメンタリー番組によって、親しみやすいものとなっていて、一般家庭に「入り込む」ようになっている。

二〇一七年末、中央テレビ局が放送した『国家宝蔵』という番組が中国で人気を博した。番組の中で文化財は生き返り、博物館もまた民衆の身近なものとなっていった。われわれの故宮、われわれの文化財、われわれの中華文化が、この番組により人気に火がついた。

二〇一七年初めに『国家宝蔵』番組の製作チームが初めて故宮博物院にやって来たとき、番組の総ディレクターである于蕾さんが、私にこの番組の構想について語ってくれた。当初、私はこの番組のアイデアや考え方が今までの国内の番組にはなかったために、とても好奇心を抱いた。まさにこうした好奇心がみんなの情熱を刺激し、故宮博物院をはじめとする国内の九カ所の博物館が連合して、共にこのアイデアを実現させたのだ。

『国家宝蔵』第一シリーズの放送が正式に始まると、視聴者の情熱も、放送後に引き起こされた反響も、私の想像を超えるものだった。故宮博物院、上海博物館、南京博物院、湖南省博物館、河南博物院、陝西歴史博物館、湖北省博物館、浙江省博物館、遼寧省博物館の九つの国家級重点博物館が残らず取り上げられ、計二十七点の文化財が紹介されて、数十人のスターがその応援に駆け付け、伝統文化と現代文化を結びつけ、伝統文化を現代的に変化させようとみんなで努力し、これらの文化財の前世と今生をうまく表現した。

番組放送から二カ月余りで、「博物館ブーム」がテレビからインターネットに飛び火し、さらにオフラインへと拡大していった。番組はたちまちのべ八億人の視聴という好成績を得た。『国家宝蔵』のコンテンツがある「B站」での再生数が二千万回を突破し、ミニブログ（中国版ツイッター）にある関連番組のショート動画の再生数は四億回近くなり、動画サイトの「豆瓣」では九・五点という高評価を得た。番組放送後、九カ所の国家級博物館の入場者数は平均で五〇％増加し、二〇一八年の春節は二〇一七年の同時期に比べると入場者数が一三％増えた。また、二〇一七年十二月初めに『国家宝蔵』番組が放送されてからというもの、「博物館」というキーワードによる国内観光プログラム検索が五〇％増え、国宝を子どもに見せようという親子連れの客が増え、高齢者も博物館の文化観光に極めて熱心になった。

「『国家宝蔵』という文化財・博物館の紹介番組に期待するものとは？」と私に問いかける人がいて、当時私は半ば冗談で「董卿（中国の人気テレビ番組『朗読者』のキャスター）を打ち負かしてほしい」と言ったものだ。今日では『朗読者』も『国家宝蔵』も、とても人気がある文化番組で、どちらも中国の優れた伝統文化を伝えるものとなっている。しかし、この二つには大きな違いがあって、『朗読者』がテレビで高視聴率を得ているのに対し、『国家宝蔵』はインターネットでよく視聴されていて、互いに補完し、ウィンウィンの関係にあると私は考えている。『国家宝蔵』が大きな反響を呼んだ背後には、国内トップクラスの文化機関の強い連合があったといえる。博物館とテレビという二

中央テレビの番組『朗読者』の収録（二〇一七年二月二十六日）

大業界の協力によって、人々が親しみやすい方法で伝統文化の展示・解読ができ、視聴者の期待と相まって、静かに眠っていた文化財を覚醒させ、文化や歴史、そして文化財に物語らせ、広範な民衆の文化的需要を満足させたのだ。番組の冒頭でアナウンスされているように、「国宝を生きたものとする」ことを、この番組は本当に実現している。

当初、私は『国家宝蔵』の製作チームに、「この番組は少なくても第五期まで必要だね」と言ったものだが、彼らは笑いつつも、信じられないという顔をしていたものだ。今、私が再び製作チームに、「この番組は少なくても第五期まで必要だね」といえば、またもや信じずに、「たった五期だけ?」と言うに違いない。

二〇一八年十月、『国家宝蔵』第二シリーズの収録が始められた。一年前を回想すると、故宮博物院が『国家宝蔵』番組と協力すると決めたとき、協力要請を受けた八つの博物館のうち多くが、故宮博物院にわざわざ電話をかけ、「故宮博物院は本当にこの総合芸術番組に参加するのか? 故宮が参加するならわれわれも参加する」と聞いて来たそうだ。『国家宝蔵』第二シリーズの準備段階では、協力要請を受けた八つの博物館の誰も電話をかけて来なかったので、私はちょっとがっかりした。逆に要請を受けていない博物館が電話をして来て、いつ『国家宝蔵』で取り上げてもらえるのかと聞いたそうだ。

テレビ番組『国家宝蔵』は、文化の盛大な事業ともいえる。第一シリーズで展示された二十七点の文化財の背後には脈々と伝承されてきた中国の優れた伝統文化と精神がある。「文化財には尊厳

『国家宝蔵——故宮博物院』の収録に参加する
(二〇一七年十一月一日)

があって、いかに文化財の外観や収蔵、展覧などの物理的空間で尊厳を得ることができるかは、われわれ『門番』や『守護者』の役割の一つだが、どうやって彼らが歴史・文化・精神の上で尊厳を得ることができるかは、みんなの努力が必要とされる」と私はよく言っている。努力によって、みんなにテレビをつけさせ、文化財の背後にある中国の温もりを知ってもらい、より多くの親と子どもに中華文化の精神の源を理解させ、より多くの人を博物館に足を運んでもらい、身をもって五千年にわたる中国の温もりを感じてほしいと思う。

『国家宝蔵』以外にも、われわれにはいくつか「視聴率」が極めて高い、注目される番組がある。例えば、二〇一八年に北京テレビ局と共同制作され大型文化シーズンに放送された番組『上新了・故宮（新たに出品された故宮）』である。これは文化リアリティ番組で、故宮のオリジナル製品の開発者と特別ゲストが故宮の文化財専門家と共に紫禁城に入り、故宮博物院の貴重な宝物を探し、その歴史的秘密を探求し、文化の謎を解き明かすというものだ。この番組は、故宮博物院の強大な文化的生命力を表現するだけでなく、著名デザイナーや大学のデザイン専攻の学生と手を組んで、想像力を発揮し、若者の視野とオリジナル商品を器とし、アイデアと好奇心と想像力とを融合させ、各人の心の中の「故宮」を掘り起こし、若い力によって故宮に新たな文化的活力を与えるものとなっている。どの回も一連のブームを牽引するオリジナル製品を生み出し、人々と故宮文化が双方向的に結びつき、故宮文化をより多くの人に「家へお持ち帰り」させるものとなっている。

実際、『上新了・故宮』はまた別のドキュメンタリー番組の「段階的バージョン」ともいえ、それは『紫禁城』のことだ。

『紫禁城』は、紫禁城建設六百周年、故宮博物院創立九十五周年を記念してつくられた大型ドキュメンタリー番組で、二〇二〇年九月にオンラインリリースされる予定だ。この大型ドキュメンタリー作品は、故宮の文化伝承を助け、時代を革新する使命感を重ねて言明するものだ。かつての皇宮の秘められた片隅を探し求め、多くの貴重な文化財・文献を全面的に展示して、故宮六百年の重厚な歴史と活力を見せ、より多くの人に映像という絆を通して紫禁城という最大規模の文化財を認識させる。そして、六世紀にわたって蓄積されてきた重厚な歴史と文化を示すのだ。紫禁城の全体が中国人の宇宙観、哲学観、芸術観を示すものであり、全体から解釈することではじめて深く全面的に理解することができる。このドキュメンタリー作品は、紫禁城のある部分を人が認識するための座標を提供するものでもある。座標がなければ、人々の紫禁城に対する認識は非系統的でまとまりのないものとなるだろう。ここ数年、テレビドラマやドキュメンタリー番組で、紫禁城の中の宮殿や庭園にスポットライトを当てるものがあり、多くの若者がそれを見て故宮にやって来て、ドラマの中の人物が住んでいたこれらの宮殿を探求しようとしている。しかし、一端を知るよりも、全体を知って得意げに顔を輝かせるほうがいい。われわれもまた、この大型ドキュメンタリー番組が早く放送されることを期待している。

この二つの番組は、形態も性質も異なるが、現すものは同じく紫禁城である。ここからも紫禁城という伝統的なテーマが、尽きることのない文化的資源を提供し、さまざまなまったく新しい表現空間を提供するものであることが分かる。この二つのシリーズの映像作品以外にも、今後故宮博物院はさらにオペラ、演劇、映画、テレビなどさまざまな芸術形式による紫禁城の表現を模索し、全方面から立体的に紫禁城の文化的魅力を表現し、故宮文化を説明して、中華文化が時代と共に進み、故宮博物院がもつ重厚な文化的・歴史的内容を示すと同時に、絶えず湧き上がり成長する時代の力を体現していきたいと思っている。

ここで特にわれわれ故宮の演劇グループ「海棠社」と故宮をテーマとした舞台劇『海棠依旧』を紹介したいと思う。故宮博物院の「海棠社」は二〇一二年末から二〇一三年初めにかけて成立し、若い「故宮人」たちが自作自演した劇『海棠依旧』に起源をもつ。この劇は一九三三～一九四八年、故宮博物院の収蔵品の南遷や西遷などの過程の中で「故宮人」たちが国宝を守りぬいた実話をプロットとし、旧世代の「故宮人」の国宝を大切に護ろうとする心情が表現されたものだ。二〇一三年、『海棠依旧』は故宮博物院内で五回上演され、好評を博した。二〇一五年十月に故宮博物院が設立九十周年を迎えるにあたって、この劇は故宮宝蘊楼前で上演された。その後、この『海棠依旧』は南京博物院でも、アモイのコロンス島の音楽ホールでも上演された。二〇一七年九月、この劇は北京保利劇院の舞台にあがり、チャリティー公演という形でこの素晴らしい、しかしあまり知られることのない故宮博物院の歴史を多くの人に紹介した。

今日では、嬉しいことに博物館文化はすでに大衆文化の一部となっている。今まで人々は故宮博物院にやって来ると、八割の人が中軸線にそって前へ前へと進み、景観だけ見て展示は見なかったが、今日ではその割合は逆となり、八割の人が展示を見て、午門雁翅楼展示室も、神武門展示室も、毎日一万人にものぼる入場者があり、ひいては二、三万にもなるときもある。故宮博物院内では同時に数十の展示が行われていて、どれも各地から来た人たちが喜んで観覧している。たゆまぬ努力により、とうとう「故宮」が「故宮博物院」へと向かう願いを実現したのだ。

博物館にとって、最終的に観衆を引き付け、伝えるものとは、貴重な文化財の背後にある物語であり、文化財にかかわる物語がもつ人を感動させるストーリーで、これは中華民族全体の精神的財産といえる。もともとこうした文化財は自分の身近なところで生きていて、様々な人との関わりをもち、多くの人が仕事や趣味にこれらを用いていて、ひいては人生や生命をかける人すらおり、彼らの先祖たちが代々こうした文化財を守り、研究し、発掘してきたことを人々に意識させねばならない。多くの人がこうした文化財を博物館に寄贈し、より多くの人に見てもらおうとし、さらにはより多くの人にわれわれ民族が何を残したのか知ってもらうために、一生をかけて努力しているのだ。

中国を巡回する

各種のルートや方法によって「オンライン展示」を行うほかに、実物展覧や現地展覧の方面でも近年、故宮博物院は多くの手段を併用して、さまざまな方法で故宮文化を一般家庭へと浸透させている。

長期休暇にはいつでも――ゴールデンウィーク、中秋節、春節、国慶節、さらには夏休みの間中、故宮はいつでも「人でいっぱい」という印象があることだろう。メディア報道の中でも故宮は全国で最も混みやすい観光地トップ3の常連となっている。これは仕方のないことで、壮大な紫禁城を見たいと思ったら北京に来るしかないのだ。紫禁城は移動が不可能な文化財で、移動させることもできないし、押してもビクともしない。しかし故宮博物院に収蔵されている百八十六万の文化財は移動可能で、動かそうと思ったらそれは可能だ。全国の人々により直感的に故宮を見てもらい、体験してもらうため、故宮博物院はここ数年、国内各地で相当数の種類も豊富な展覧を行っている。

例えば、二〇一四年、われわれはアモイ市博物館で「故宮珍蔵――慈禧の陶磁器展」を開催し、北京の首都博物館で、「長宜茀《ふつ》禄――乾隆の秘密の花園展」を開催し、深圳博物館では「玉石梵像――故宮所蔵曲陽出土の北朝隋唐仏教造像展」を開催した。二〇一五年には河北博物館で「故宮博物院所蔵九十九如意展」を、山東省博物館で「皇帝が見た西洋科学技術展」を開催した。二〇一六年、首都博物館で「養心殿へ足を踏み入れる展」を、瀋陽故宮で「曾在盛京――瀋陽故宮南遷文物特別展」を開催した。

二〇一七年には、南京博物院で「養心殿へ足を踏み入れる――大清の家国天下展」、杭州市の公望美術館で「君聖臣賢――乾隆と董家父子書画作品特別展」を開催した。

二〇一八年、われわれは太原市博物館と共同で「紫禁風華――二〇一八太原・故宮文物展」を開催し、湘潭《しょうたん》市博物館で開かれた「故里の山花この時開く――斉白石作品回郷展」に参加し、山東博物館で「中正仁和――養心殿へ足を踏み入れる展」を開催した。こうした展覧はすべて各地方政府や博物館の大きな協力を得て、同時にとても大きな反響を呼んだ。故宮文化はこのようにして多くの家庭へと浸透していったのだ。

各地で開かれた多くの特別展覧会のうち、「養心殿」に関連するものが多いのが見て取れると思うが、これはわれわれがいくつかの博物館で開催した「養心殿巡回展」であるともいえる。故宮の古建築の全体修復・保護工事の一環として、養心殿地区は二〇一六年から全面的に閉鎖され、補修工事が行われている。故宮博物院はこのために五年にわたる養心殿修復・保護計画を制定し、研究・保護プロジェクトとして全面的に養心殿地区の関連学術研究を展開し、最大限に養心殿の歴史情報を保護し、古建築と文化財のもとの状態を変えず、原状陳列と専門展覧とを有機的に結合させ、養心殿地区の展覧効果を向上させようとしている。同時に養心殿の修復・保護の期間中、養心殿内部の文化財を使い、テーマの鮮明な特別展覧プロジェクトを行い、各地の博物館で展覧した。これにより、養心殿内の文化財は初めて紫禁城から出て、より多くの人が養心殿の背後にある歴史知識を深く理解できるようにし、同時に養心殿の素晴らしい文化財を鑑賞してもらった。

こうした展覧方法は、養心殿の研究・保護プロジェクトの実施期間中に養心殿地区の観覧ができないという欠落感を補い、さらに養心殿の価値を知らしめ、保護管理の仕事にきっかけを与え、同時に人々の文化遺産に対する注目と興味を引き出すことができた。

このような展覧方法は利点が多いため、われわれは今後もこうした考え方やモデルを続けて用いていくつもりだ。

近年、故宮文化の伝播を推進するため、故宮博物院は協力を重んじ、多元的なパートナーを探すようになった。われわれは自分たちの豊富で多彩な展覧を全国各地に広めていくと同時に、一部の省や地域で「根っこを下ろす」ようにしている。こうしたものの中に故宮博物院とアモイ市が共同建設した故宮コロンス島外国文物館がある。

二〇一四年、故宮博物院はアモイ市政府と正式にコロンス島における共同建設プロジェクトをスタートさせた。二年余りの準備を経て、故宮コロンス島外国文物館が二〇一七年五月十三日に落成し、開館した。

故宮コロンス島外国文物館は、アモイ市コロンス島の「救世病院および看護学校旧址」に建設され、敷地面積は一万千平方メートル、建築面積は五千百八十平方メートルである。これは故宮博物院が初めて地方に設立したテーマ性分館となる。

どうして「外国文物館」を設立する必要があったのか？　中国は古い文明をもつ国だが、歴史上、他国の文化財の略奪・窃盗を行ったことはない。同時に歴史的・経済的条件が許さなかったため、中国の博物館は往々にして他国の文化財を大量に収集することができなかった。このため、長期的に中国の博物館の中に収蔵・展示されているものはおもに中国の文化財であり、世界各地の外国の文物を収蔵したり長期的に展示したりすることはまれであった。この方面で故宮博物院は例外であり、紫禁城は明清二王朝にわたる皇宮であり、しばしば外国の使節団を接待し、西洋の職人や芸人が宮廷に仕えていて、そのために大量の異国風の工芸品や日常品も所蔵していた。こうした外国文物は今でも故宮博物院に収蔵されており、当時の外国との交流の証しとなっている。

コロンス島は昔から「万国建築博覧会」と褒め称えられていて、異国風の建築が建ち並び、中国近代と世界が融合した文化的環境をもつ。コロンス島に「外国文物館」を設立し、人々に世界文化を味わってもらい、中国と外国との交流の歴史を知ってもらうことは、故宮博物院が「一帯一路（中国が進める現代版シルクロード経済圏構想）」建設という大事業を助けることにもなるのだ。

左／故宮コロンス島外国文物館で中央テレビの「面対面」番組のインタビューを受ける（二〇一七年五月十三日）
右／故宮コロンス島外国文物館の開館式典（二〇一七年五月十三日）

二〇一七年、開館後初めての展覧「故宮コロンス島外国文物館展覧」では、二百十九点の収蔵品が展示された。展示品は漆器、陶器、磁器、ガラス器、琺瑯器、金属器、織物、絵画、書籍、彫塑、家具、時計、科学技術器機など多岐にわたり、イギリス、フランス、ドイツ、スイス、ロシア、イタリア、オーストリア、ブルガリア、日本、朝鮮などの国・地域のものがあった。これらはおもに清の宮殿の所蔵品で、一部は民間から集めた、あるいは個人の寄贈品である。時代は十六世紀から二十世紀にまでわたり、十八・十九世紀のものが多かった。

この展覧の中にオルガンがあり、これは故宮博物院がもつオルガンの中でも最も完全に保存されてきたもので、これが初めての展示となった。これを選んだのは、コロンス島が別称「音楽の島」と言われるためだ。このオルガンは形が美しく、内部構造もとてもしっかりしていて、正面に金泥で美しい花の模様が描かれ、オルガンがパリのドメニル通り一六六号のリモネール・フレール社で製作されたものだと目立つ場所に記してある。ハンドルでネジをまくと、機械が動き、空気が風箱の中に密封され、風箱の上に立つ木や金属のパイプやラッパが気流の衝撃により音を発する仕組みで、九曲を演奏することができる。柱の上には男性と女性の人形が立っていて、連動して動いて、手に持つバチで鈴を鳴らす。

ヨーロッパなどの文物以外にも、故宮コロンス島外国文物館では隣国日本の七宝焼きの壺が初めて展示された。日本の七宝焼きは中国の景泰藍と同じ流れをくみ、互いに補完し合うもので、百年にも及ぶ伝承の歴史をもっている。源をたどれば、七宝焼も景泰藍も同じ「琺瑯《ほうろう》」という名前をもつ。今回故宮博物院から何点かの美しい七宝焼が運ばれ、例えばクリーム色の地に竹とヒヨコが描かれた七宝焼の壺があり、これは十九世紀末に日本で作られた銅の平底の器で、全体が灰色の琺瑯地で、表面に竹とメンドリがひよこの面倒をみている情景が描かれ、生き生きとして自然で、シンプルで上品なものだ。もう一つはブルーの地に花の模様がある七宝焼の壺であり、ブルーの琺瑯を地とし、その上に花の模様が描かれている。

　西洋の時計展示品の中に、汽船式湿度計がある。この工業模型時計は、温度と湿度を表示することができ、十九世紀末のフランスで最も流行した時計の形であり、スイスのウルマン商会が中国で販売していたフランス製の時計である。この時計は汽船の形をしていて、船体は大理石の台座の上にのり、甲板には二つの円筒が立ち、前の円筒の上には二針の時計が、後の円筒の上には湿度計が嵌め込まれている。二つの筒の間にある煙突の側面には温度計があり、その上部には羅針盤が置かれている。さらに凝っているのは、動かすと、円筒が時計周りに動き、船尾にあるスクリューも回ることだ。

　アモイに故宮コロンス島外国文物館を設立したほか、故宮博物院はさらに香港・西九龍で「香港故宮文化博物館」も設立している。近年、故宮博物院と香港の文化・教育機関の交流がますます密接なものとなっている。例えば二〇一三年七月から十月にかけて、香港歴史博物館で、「国采朝章――清代宮廷服飾」展覧が開催された。二〇一四年六月～九月には、香港文化博物館の「卓椅非凡――時空を超えて世界を見る」展覧に参加した。二〇一五年六月～九月には、香港科学技術館で「西洋奇器――清宮科学技術展」が開催された。二〇一六年十一月には、香港文化博物館の「宮囍《き》――

香港科学館「西洋奇器――清宮科学技術展」の開幕式
（二〇一五年六月二十五日）

清帝大婚慶典」が開幕し、二〇一七年二月まで続いた。二〇一七年には香港特別行政区成立二十周年を記念して「八代帝居——故宮養心殿文物展」「万寿載徳——清宮帝后誕生慶典」が香港で開催され、数十万の香港市民と観光客を引き付け、これは香港の人々の中華伝統文化に対する興味の強さを示している。

故宮博物院と香港博物館の長期的で密接な協力という基礎のうえで、故宮博物院と香港特区政府は双方の強みを利用し、展覧・研究・教育分野でさらに一歩協力を強化することを望んでいる。二〇一五年九月、私は当時の香港特区政府政務司の林鄭月娥司長と北京で顔を合わせて討議する中で、香港に故宮文化と中華文化を展示する永久的な博物館を建設できないかという検討を行った。その後、双方はこのプロジェクトの実行可能性について研究を行うこととなった。

二〇一七年六月二十九日、習近平主席は香港西九文化区「香港故宮文化博物館建設協力協議」の締結式に出席し、この重要プロジェクトは正式にスタートした。西九文化区は香港有史以来最大規模の文化投資である。協力協議が締結された後、香港故宮文化博物館の詳細設計が進められ、二〇一八年に建築工事がスタートし、二〇二二年に完成予定となっている。

香港故宮文化博物館建設協力協議によると、故宮博物院は香港故宮文化博物館で展示する文化財を、長期的に展示する常設展示と臨時に展示する特別展に分け、常設展示の展覧期間は一般的に一年とし、展覧の必要および国家の規定に基づき、適宜延期を申請できるとされている。常設展示で展示される故宮博物院の文化財は六百点以上ある。香港故宮文化博物館で出展される展示品はすべて文化財修復・保護を経た健康的な状態のものだ。展覧過程でメンテナンスが必要とされる場合、故宮博物院は故宮文物病院から「医師」を派遣して、香港で修復を行う。

そのほか、故宮博物院ではさらに収蔵品の詳細と文化的内容に関するアプリをつくり、香港市民がスマホで展示室を訪れることができるようにする予定だ。また、香港の特色および展覧内容に基

左／香港鳳凰衛生テレビが「万寿載徳――清宮帝后誕生慶典」展覧を取材する（二〇一七年六月三十日）
右／香港特別行政区政府の林鄭月娥行政長官が「故宮青年実習計画」の香港・マカオの学生を訪問した（二〇一七年八月六日）

づいて、一連のオリジナル製品を製作し、展覧を見た後に「故宮文化を家に持ち帰る」ことができるようにする。同時に、香港故宮文化博物館は完成後、ハイテクを十分に生かして、立体的な博物館文化を展示していく。また、香港故宮文化博物館の機能を絶えず開拓していき、青少年を対象とした故宮知識教室や一般向けの故宮文化講壇を開いたり、故宮文化書籍を出版したり、故宮のオリジナル製品を研究開発したりするなど、大衆教育、文化展示、観覧ガイド、情報提供・宣伝、レジャー・娯楽、電子ビジネスなど各種の方法により、博物館を総合的で多様性のある文化的な娯楽場、独特な中国的伝統文化の特色をもつ故宮文化総合展示空間としていく予定だ。

近年、中国の博物館の数は年々増加しているが、人を呼び寄せることのできる博物館は少なく、一部の博物館は人が訪れず、人気がない。優れた博物館と品質の高い展覧は一部の都市に集中しており、文化供給の上で、東西間、都市・農村間のアンバランスが存在する。博物館同士で協力を強化し、資源シェアと強みの相互補完、人員交流などの多くの効果を実現させ、共に中国博物館事業の健全な発展に力を集中させていくべきだ。

故宮博物院はずっと豊富な所蔵品という強みを利用し、国内の他の博物館に展覧品を送り、展示品を貸し出してきた。われわれは他の省や自治区、直轄市に「展覧を送る」「展示館を建てる」だけでなく、彼らに「経験を送る」こともしている。われわれは各地の博物館や文化遺産保護団体と、古建築保護や文化財修復、所蔵品展示、デジタル化展示、文化財・博物館の宣伝、人材育成、文化・クリエイティブ製品の研究開発などの方面での経験を分かち合っている。例えば、文化・クリエイティブの方面では、故宮博物院は安徽省黄山市に徽派伝統手工芸工作ステーションを設立し、徽州（安徽省）の伝統手工芸品の伝承と革新を推進し、徽州伝統手工芸品ブランドを発展させた。さらに二〇一八年三月には、故宮文化・クリエイティブ研究開発交流センターが山西省平遥県に開設され、双方は力を合わせて平遥に全国文化・クリエイティブ産業基地をつくりあげようとしている。

国連安保理の常任理事国には欠くことのできない強大な博物館

今日、故宮博物院の国際的影響力は拡大し、ユネスコと国際博物館会議はどちらも故宮博物院を「世界五大博物館の一つ」としていて、故宮博物院はそれに恥じないものだ。残りの世界五大博物館はどこかというと、英国の大英博物館、フランスのルーブル美術館、米国のメトロポリタン美術館、ロシアのエルミタージュ美術館である。この五つの博物館は、まさしく国連の常任理事国である中国、英国、フランス、米国、ロシアの五カ国の博物館だ。つまり、立派な博物館がなければ連合国の常任理事国にはなれないともいえる。

世界クラスの博物館として、常に豊富多彩な展覧を世界各地で行い、また、絶えず世界各国の博物館の優れた展覧を故宮博物院で行う必要がある。

「中華人民共和国出土文物展覧」に始まり、改革開放から四十年間、故宮博物院は計二百余りの重要な文化財対外展覧交流プロジェクトを実施してきて、その足跡は五大陸三十余カ国に及び、観覧者数はのべ一億人を超えている。故宮博物院の文化財展覧はどこにいっても、一大文化センセーションを巻き起こし、現地の文化的現象となった。その中でも、二〇一二年一月に日本で行われた「選国宝観瀾《らん》――故宮博物院文物精華展（邦題は北京故宮博物院二百選）」、二〇一二年三月にメキシコで行われた「天国の石——玉石文明展」、二〇一二年十月にドイツで行われた「金昭玉粋——清代宮廷生活芸術展」、二〇一三年十月にイギリスで行われた「中国古代絵画名品展」、二〇一四年三月にカナダで行われた「紫垣擷《けつ》珍——明清宮廷生活文物展」、二〇一四年十月にアメリカで行われた「紫禁城——北京故宮博物院皇家珍品展」、二〇一五年三月にオーストラリアで行われた「盛世乾隆展」、二〇一六年九月にチリで行われた「盛世繁華——紫禁城清代宮廷芸術展」、二〇一七年四月にフィンランドで行われた「永膺《よう》福慶——清代宮廷の輝き展」、二〇一七年七月にモロッコで行われた「継文縄武——清代帝王の家国天下展」、二〇一八年九月にギリシアで行われた「重文徳の光華——重華宮原状文物展」などがある。

これと同時に、われわれもまた世界の多くの国・地域と協力して、彼らの収蔵品を故宮博物院で展示し、中国の人に出国せずに世界各地の文明を鑑賞してもらっている。特に午門雁翅楼大型展示室が完成した後には、外国の博物館の展覧により優れた展示環境を提供できるようになった。

例えば、二〇一六年、故宮博物院とインド国家博物館は、「梵天東土・併蒂《へいてい》蓮華——四～七世紀のインドと中国の彫塑芸術大展」を入念に計画した。これは、インドの九つの博物館と中国の十七の博物館に所蔵されている彫刻・塑像を展示したもので、中国における初めての中国・インド古代の同時期の彫塑の比較展示であり、両国文化交流の重要な事例となった。展覧は故宮博物院で終了した後、さらにシルクロードや海のシルクロード沿いにある福建省や浙江省、四川省などの博物館でも開催され、さらに中国・インド両国文化を伝播・発揚した。

また、二〇一七年に故宮博物院が行った「浴火重光——アフガニスタン国立博物館の宝物展」では、四つの考古学的意義のある発見場所を中心としてアフガニスタンの文化財関係者が保護してきた二百三十一点のバクトリアの宝物を展示することで、前三世紀～後一世紀にかけてのアフガニスタンの歴史の姿を示した。これはさらにシルクロード初期の証拠品でもある。これは中国で開催された初めてのアフガニスタンの文化財展覧で、アフガンの人たちの紆余曲折する歴史の中で保護されてきた貴重な文化財が経てきた過程を展示するだけでなく、アフガンの復興と進歩をも象徴するもので、展覧の中でシルクロードのさまざまな時期の展示品を中国の観衆に見せ、さらにはアフガニスタンと中国の友好交流の歴史を示し、人々の文化遺産保護などに対する深い思考を呼び起こすものとなった。二〇一七年から中国の博物館界はこの展覧の中国巡回展を始め、北京・敦煌・成都・鄭州・深圳などの地で巡回展覧が行われた。

近年、故宮博物院で開かれる世界各国の展覧は年々増加していて、例えば二〇一七年の「尚之以瓊《けい》華――十八世紀に始まる珍宝芸術展」、「エリザベート妃とハンガリー――十七～十九世紀ハンガリー貴族の生活展」、二〇一八年の「銘心擷《けつ》珍――カタール・アルタニコレクション展」「貴冑《ちゅう》綿々――モナコ・グリマルディ王朝展（十三世紀～二十一世紀）」、「エーゲ遺珍――ギリシア・アンティキティラ島水中考古文物展」、「流金溢彩――ウクライナ博物館文物および実物と装飾芸術大展」などがある。これらの展覧は題材が広く、内容が豊富で、開かれるたびに広範な社会の注目を集め、多くの観衆がやって来て、故宮博物院は国際文化交流の窓口となった。

われわれはさらに、国際的に重要な博物館、研究部門および政府機関と戦略的パートナーシップを構築し、メモランダム・オブ・アンダースタンディングや協力枠組み協議などを締結し、展覧、文化財保護と修復、研究、考古学、教育、研修、デジタル化、文化・クリエイティブ製品の研究開発などの方面で多種の形式による広範な協力を行っている。例えば、イギリスの大英博物館、アメリカ・ニューヨークのメトロポリタン美術館、ロシアの国立エルミタージュ美術館、ロシアのクレムリン博物館、フランスのルーブル美術館、ドイツのドレスデン美術館、オーストラリアのヴィクトリア国立美術館、カナダのロイヤルオンタリオ博物館、日本の東京国立博物館、韓国の国立中央博物館、イラン国立博物館、インド国立博物館、インドネシア国立博物館などはすべて密接な協力関係にある。同時に、故宮博物院はさらに定期的に「紫禁城フォーラム」「世界古代文明保護フォーラム」などを開催することにより、各方面との交流協力を強化し、人類の古代文明保護の成果を共有している。

これ以外にも、われわれは毎年さらに多くの重大な対外活動を行っていて、外国からの賓客が故宮に観覧に来るときには、中国文化を味わってもらっている。近年、故宮博物院は広範な影響力を持つ重大なイベントを積極的に開催したり、請け負ったりしていて、ますます多くの国・地域の同業者・友人に故宮博物院をより深く理解してもらっている。二〇一五年以来、故宮博物院は何度も習近平総書記・李克強総理などの党と国家の指導者が外国からの賓客をもてなしたり、国際イベントを開催したりする重要な場所となっている。

二〇一五～二〇一七年、故宮博物院は合計で、のべ二百回、三千人余りの国賓をもてなしたが、その中にはフランスのヴァルス首相、ドイツのガウク大統領、カナダのトルドー首相、イギリスのウィリアム王子らがいる。

二〇一七年五月十五日、習近平国家主席夫人の彭麗媛《ほうれいえん》が「一帯一路」国際協力サミットフォーラムに出席した外国側団長の配偶者を世界文化遺産である故宮博物院に招待した。来賓たちは太和殿の前で記念撮影をし、中に入って「故宮博物院所蔵『一帯一路』をテーマとする精選文化財展」を観覧した。御花園で来賓たちは北京地区の無形文化遺産展示区を観覧し、舞踊、古琴、太極拳、無伴奏の少年合唱、京劇ハイライトシーンなどのプログラムを楽しみ、長い歴史をもつ中国文化を味わい、さらに千年にわたる中国と「一帯一路」沿いの国々との文化交流について理解を深めた。

トランプ大統領の故宮観覧

二〇一七年十一月八日、アメリカのトランプ大統領が故宮博物院を観覧した。

この日、初めて中国を訪問したアメリカのトランプ大統領と令夫人が北京に到着した。飛行機で到着した後、トランプ夫妻は車で故宮に向かい、習近平国家主席と彭麗媛夫人の付き添いのもとで、故宮博物院を観覧した。故宮は中国とアメリカの元首の歴史的な会談を見届けたのだ。

今まで故宮は何度もアメリカ大統領らの貴賓を迎え入れていて、中米関係発展史上、特殊な意義をもっている。一九七一年七月、当時国家安全保障問題担当補佐官であったキッシンジャーが秘密裏に中国を訪問し、中国に四十八時間滞在したなかで、四時間が紫禁城観覧にあてられ、これはまた、キッシンジャーのこの時の訪問の中で唯一の外出活動でもあった。一九七二年二月、当時のニクソン米大統領が訪中した際、故宮を訪問した。一九九八年、クリントン米大統領は中国訪問時に家族と共に故宮を観覧し、「精彩で美しい」と評価した。二〇〇九年十一月、オバマ米大統領は就任後初めて中国を訪問し、故宮を観覧した。ＡＰ通信はオバマ大統領の故宮観覧の際、「訪問国の名所旧跡を観覧することは、指導者のその国の文化に対する尊重を示すことになる」と論じた。

この時のトランプ米大統領の訪中は、「国賓としての公式訪問＋」という高いレベルの接待を受けた。トランプ大統領とメラニア夫人は故宮を遊覧し、とても和やかで友好的なムードの中で展覧を見て、京劇を楽しみ、習近平夫妻と共に宝蘊楼茶叙《ほうおんろうちゃじゅ》で「文化財を修復」した。中国の伝統文化が太平洋両岸の二つの大国を繋げる虹の架け橋となったのだ。

習近平主席は、中国の伝統文化の各方面にとても詳しいだけでなく、とても深い学識をもち、自由自在にそれを駆使した。さらに私を特に感動させたのは、習近平主席が故宮文化や故宮博物院の現状についてもとても詳しかったことだ。紫禁城の歴史的人物や歴史的事件、文化資源、文化空間についても、故宮の古建築や文化財、故宮の歴史環境、さらには故宮博物院の今後の発展などについても、極めて熟練した説明と解釈を加え、道すがらトランプ大統領に説明していた。トランプ大統領は、習近平主席の説明に思わず「とても素晴らしい」と叫び、中国の歴史や文化に驚嘆していた。

いくつかの場所の観覧が、トランプ大統領の大きな関心をひいたのに私は気づいた。一つは三大殿区域で、太和門に登ったときに始まり、太和殿に入るまで、紫禁城建築群の壮大さにとても驚いたようだ。次に、「故宮文化財病院」で、故宮博物院の職員の真面目な仕事ぶりや、専門技術、特にひどく破損した文化財を蘇らせたことにとても感銘を受けていた。さらに、紫禁城の暢音閣《ちょうおん》大戯台で見た素晴らしい京劇上演に、トランプ夫妻の目は釘付けとなった。

この後、トランプ大統領はツイッターで、「私はメラニアに代わって、習主席と彭麗媛夫人に感謝を捧げたい。われわれは北京の紫禁城で忘れ難い午後と夕方を過ごした。……われわれを美しい中国の訪問に誘っていただいたことに感謝し、私とメラニアは永遠にこれを記憶に留めておくだろう」とツイートした。

彼はさらにツイッターのメインページの背景写真を中米両国元首夫妻の暢音閣前での記念写真に替えた。写真の中で、四人は微笑みながら中央に立ち、京劇の出演者がその前後左右を取り巻いて、とても心温まる場面であった。ここからも、この観覧にトランプ大統領が喜び、深い印象をもったことが分かるだろう。

この時のトランプ大統領の故宮観覧には、四つの方面での「未曾有」があった。一つはランク格の高さで、二つ目は時間の長さ、三つ目は範囲の広さ、四つ目は内容の多さである。

故宮博物院が今回の接待を引き受けることができたのは、たゆまぬ努力により、故宮博物院がすでに尊厳をもち、人に尊敬されるものとなっていて、さまざまな方法で中国文化の独特の魅力を見せる文化空間であろうと努力していたからだ。

故宮文化財病院では、両国の元首夫妻は書画・家具・木器・陶磁器・紡績品・金属器などの文化財修復技術展示を見学した後、書画の修復を体験し、故宮の文化財修復成果展を見学した。特に時計修復師の現場では、金銅製石材嵌め込み昇降時計塔、金銅製ひょうたん瓶転花時計、金銅製農村音楽噴水時計などのいくつかの時計が展示されており、実際に音楽が鳴り、からくりが動くのを見て、感嘆していた。同時に現在修復中の金銅木楼三角時計、金銅オルゴール噴水時計で故宮の西洋時計の修復技術の紹介を受けた。

刺繍文化財修復作業室では、両国の元首夫妻は十八世紀の「明黄色緙《かく》糸女夾龍袍」の前で足を止め、じっくりと眺めていた。これは清代の乾隆帝の寵愛を受けた皇后が着た礼服で、おもに重要なお祝いや祭祀活動の時に着用され、とても素晴らしい製作技術が使われた極めて貴重なものである。

書画修復室では、両国の元首夫妻は国家クラスの無形文化遺産である「古書画表装修復技術」の重要な一部である「托画心（裏打ち）」を体験した。「三部が絵、七部が表装」といわれるように、この作業が成功・失敗を左右するもので、遠方からやって来た客人は興味しんしんと言われるとおりに仕上げた後、何度も不思議そうに眺めた。

「故宮博物院所蔵文化財精品展」には、乾隆帝が母である崇慶皇太后のために造った金髪塔、中国の象徴ともいえる龍の模様で飾られた黄金時計、清の宮殿の製造所で造られた金天球儀、精緻で華麗な金甌永固杯、形が天体の星に似ているために名付けられた乾隆款粉彩九桃図天球瓶、釉の色が独特な郎窯紅釉観音尊、複雑で精細な技術が用いられた堆朱山水人物図手提箱、三千年余りの歴史をもつ青銅礼器亜簠《ふ》方罍《らい》など、各種の優れた文化財が展示されていた。

そこにはさらに、壮大な気勢をもつ絵巻である『シルクロード山水地図』が展示されていた。この絵巻は十六世紀後期に製作されたもので、全長三十・一二メートル、幅九百五十センチのものだ。この地図は中国甘粛省の嘉峪関から天方城、すなわち今日のサウジアラビアの聖都市メッカとして知られている場所に至るまで、現在では九カ国にわたる広大な地域に及んでいて、古代の陸のシルクロード沿いの地理情報が描かれていて、とても高い芸術性と極めて重要な歴史的価値をもつものだ。

故宮博物院は毎年とても多くの外交接待任務を引き受けており、こうした国家元首・政府首脳・各国代表団が故宮博物院を観覧する際、われわれは故宮に示されている中国の伝統文化を紹介する。例えば、赤い壁、黄色い屋根瓦、青い空が「三原色」で、この三つの色を用いて世界のいかなる色彩をも描き出すことができることなどだ。われわれの世界は単一の色彩ではなく、豊富多彩でなければならず、どの民族にも誇るに足る歴史があり、すべて彼らが思いを馳せる素晴らしい未来をもつべきだ。今日、各国の指導者、外国の代表団、中国や外国の観光客が故宮博物院内を歩き、故宮の古建築がこのように壮大で美しく、健全に、尊厳をもって修復・保護されていることを見れば、中国の世界遺産保護のための積極的な努力と貢献に感動してもらえることと思う。

実際には、国家元首にとどまらない。近年、故宮博物院は「中国駐在使節の故宮入り」の開催など、豊富多彩な文化活動により、外国人へ中国の伝統文化を伝え、各国の在中国大使館とのコミュニケーションや連絡を強化し、故宮博物院の国際交流・協力を促進している。二〇一二年、故宮博物院は初めての「中国駐在使節の故宮入り」活動を開催し、オーストラリア、エジプト、イタリア、トルコなどの中国駐在使節および夫人が故宮博物院を観覧・交流し、故宮文化の魅力を味わった。二〇一三年、「中国駐在使節の故宮入り」イベントに、国連開発計画、国連世界食糧計画、国際労働機関、国連児童基金（ユニセフ）、国際通貨基金、世界保健機関、国連環境計画、国連教育科学文化機関（ユネスコ）、国連アジア太平洋農業土木・機械地域センター、国連難民高等弁務官事務所などの中国駐在の国連機関の代表および職員が招待された。

故宮博物院は中国に駐在する各国大使館や北京駐在の国際組織・機関とのコミュニケーションや交流をとても重視している。「中国駐在使節の故宮入り」活動は、二〇一四年にロシア連邦在中国大使館、一五年にアメリカ在中国大使館を対象に行われた。二〇一六年には、故宮博物院と全国人民代表大会外事委員会が協力して「中国駐在使節の故宮入り」活動を行い、十五カ国の中国駐在大使或いは公使が観覧した。同年、文化部外連局と協力して「中国駐在職員の故宮入り」活動が行われ、十一カ国の大使館・領事館員が観覧した。二〇一七年、十六の中国駐在大使館の十二人の大使と四十八人の中国駐在使節・職員が故宮博物院を観覧した。

二〇一八年、「中国駐在使節の故宮入り」活動はスペイン・カメルーン・サモア・タジキスタン・チリ・ジャマイカなど三十八カ国の大使を招待し、さらにアメリカ・イギリス・日本・韓国など約百十人の上級外交官と家族が紫禁城に入った。彼らは観覧の過程で故宮の壮大さ、美しさに感嘆し、中国の伝統文化の豊富な内容と現代的なデジタル技術が見せる故宮博物院の新しい魅力を体験した。

中国の伝統文化の中で、客間は家の中でも最も重要な場所で、主人の文化的素養が集中的に現れる場所である。故宮は中国においてまさに家屋における客間のようなもので、その地位は言葉では言い表せないほどだ。国家の文明イメージを代表し、中華文明を展示する故宮は、中国の対外交流の中でまさに「客間」としての役割を発揮し、中国と外国の交流の名刺となり、橋梁となっている。中国にやって来た外国の政界要人たちは、故宮という「国の客間」に入り、身をもって今日の中国の文化的根源を理解するのだ。

今日の故宮は、まさに全世界が中国を知る窓口となっていて、われわれは各国の友人たちが故宮博物院を通してより深く中国の文化を理解してくれることを願っている。これと同時にわれわれは世界各国の文化を尊重し、「和して同ぜず」や「人類運命共同体」の構築が唱えられる今日において、故宮博物院は喜んで「文化の客間」となり、世界各地の文化を紹介し、中国・外国文化の交流の舞台としての役割より良く発揮したいと願っている。

第八章

コーヒーを飲み、オリジナル製品を買う

——もっと面白い故宮へ

今日われわれは、文化的製品の中には「創意（クリエイティブ）」という二文字を加えるのがいいと認識している。こうした文化・クリエイティブ製品には実用性が必要で、さらには趣味性があり、人々の文化生活を豊かにしてくれるものであったほうがよい。

故宮の文化・クリエイティブは、メディアや大衆が討議し、注目することの最も多い分野で、「故宮萌え」の代表として、広く若者に愛され、インターネットで拡散する各種の条件をそなえていて、最も広く人に知られる博物館オリジナルグッズとなっている。

文化・クリエイティブ体験館と文化・クリエイティブ名品店はどちらも紫禁城の城壁の外にあるため、故宮博物院を観覧しない人でも体験でき、気に入った故宮オリジナル製品を購入することができる。氷窖レストランでコーヒーを飲み、紫禁城の外でオリジナル製品を購入すれば、故宮文化はより身近なものとなるだろう。

素晴らしい故宮の文化・クリエイティブ製品

ここ数年、中国では博物館の文化・クリエイティブ産業が各地で花開いているといえる。故宮博物院が開発した故宮文化・クリエイティブ製品（いわゆる博物館オリジナルグッズ）は累計で一万種類を超えており、多元的な故宮文化・クリエイティブ製品シリーズを形づくり、関係分野の数十種類の賞を受賞している。多くの人が故宮文化・クリエイティブ製品によって、故宮に対して新たな認識を抱き、故宮博物院に好意を抱くようになっている。

二〇一〇年、故宮文化・クリエイティブ製品のオンラインショップである「故宮淘宝」が開店した。始まったばかりの頃には、故宮の文化・クリエイティブ製品にはオリジナル性が足りず、他の文化製品からコピーした内容が多く、十数のシリーズがあったものの、全体的には実用性・趣味性・双方向性に乏しかった。それまで故宮の売店で売られていた文化製品は、八〇％以上が外部から仕入れたものであり、いいものがあれば仕入れるといった方法をとっていたが、博物館としてはこれは良くないことだ。なぜなら人々が必要としているのは博物館文化を家に持ち帰ることだからだ。後にわれわれは考え方を変え、故宮の文化製品に独創性を加え、故宮の文化資源を本当の意味で人々の生活に溶け込ませることをコンセプトとし、人々が生活の中で必要とするものを開発していくようにした。こうした文化資源と独創的な製品とのドッキングにより、人々に喜ばれる文化・クリエイティブ製品が生まれたのだ。

われわれはかなり多くの「バカ売れ」した製品を開発した。例えば、今誰もがスマホを使っているが、故宮博物院はコンスタントに独自の特色をもつスマホケースを発売し、人々に選んでもらっている。スマホには充電器が必要なので、「正大光明（故宮の乾清帝にかかる扁額に書かれた文字）」

ネクタイ

シルク製品

充電器を開発した。さらに若者が好むＵＳＢや「朝珠イヤホン」、清朝の五代にわたる皇帝が使った五つの紫砂壺に基づいて開発された赤、黄、緑、紫、黒の五色の紫砂壺からなる「五福五代」紫砂壺セット、子ども向けの組み立ておもちゃ、女性のためにデザインした故宮的特色をもつトランクやカバン、皇帝の龍袍に描かれた海水江崖の図案を使った海水江崖シリーズのハンドバッグと名刺入れ、女性の外套からヒントを得た鳳凰と梅の図案を使ったスカーフと各色のストール、『乾隆皇帝大閲図』の白馬の図案を使ったネクタイとフルーツピックなどがある。さらに四羊方罍（四隅に羊の頭がついた青銅器）の形をした急須と茶杯があり、それはふだんは家で飾っておく工芸品だが、客が来たらそれでお茶も飲むこともできる。また、故宮の太和殿の藻井（飾り天井）はとても有名で、この「飾り天井文化」を家に持ち帰りたいという願いを叶えるために開発された「藻井傘」、故宮の宮門もまたとても印象深いもので、この故宮宮門文化を家に持ち帰ることができるように「宮門バッグ」も開発した。さらに、雍正帝の「十二美人」はとても有名だが、これをヒントに「美人セット」や春夏秋冬四季「美人傘」を製作し、唐代の「五牛図」を題材にした文化・クリエイティブ製品は、家の玄関先に置いておくのにぴったりのものだ。傅熹年先生（著名建築史学者）の父である傅忠謨先生が寄贈してくださった紅山文化の玉器「Ｃ」の字型龍はとても美しく、

五牛図

フルーツピック

これにインスピレーションを得て、われわれはお香立てをデザインし、さらに「宮廷香」を開発した。太和殿の吻獣（屋根の棟の両端に置く獣の形をした装飾物）もとても有名だが、われわれはこれをダイヤモンドゲームや洗濯ばさみに仕立てあげた。とても生き生きとした二つの小さな陶俑があるが、この造型を借り、小さな楊枝入れをデザインした。

二〇一七年秋、故宮博物院は午門雁翅楼展示室で「千里江山――歴代青緑山水画特別展」を開催した。「千里江山」特別展を企画すると同時に、故宮博物院は関連する文化・クリエイティブ製品の開発を進め、「千里江山」をテーマとする二十種類百五十余種のオリジナル製品を開発した。例えば「千里江山芸術うちわ」は、『千里江山図』の絵の一部を使い、絹の紋紹《しまおり》の扇面に伝統的な宋錦で縁飾りをして、紅木（マホガニー）で柄を、紫光檀でうちわスタンドをつくった。洗練された美しさをもち、何度も国賓接待の場で使われ、中国の長い伝統文化と優雅で荘重といった特色を世界の友人たちに伝えてきた。

また、小型の「千里江山芸術うちわ」は、八十五元という手ごろな値段のため、故宮の売店とネットショップで一年で合計四万本が売れ、このシリーズの製品で最も人気のあった商品の一つとなった。このほかにも、二百八十五元の中等価格のうちわもある。高・中・低というさまざまな価格の文化・クリエイティブ製品は、さまざまな人たちの文化的需要を満足させることができる。

六年の努力を経て、二〇一八年末までに、故宮博物院は計一万五百種類の文化・クリエイティブ製品を開発した。これはオンライン・オフラインという二つの販売ルートで宣伝・販売され、年間売上は十億元を超えた。こうした文化・クリエイティブ製品により、われわれは故宮という文化記号がもっている伝統文化を、受け入れやすく現代の美的感覚に合致した流行文化に変えたのである。

故宮の文化・クリエイティブ製品の成功の理由を総括するならば、私は「四つの原則、五大種別、多種の販売ルート、三つのコツ」に帰結させることができると思う。

故宮博物院の文化・クリエイティブ製品の研究開発は四つの原則を守っていて、それは実践経験の総括であり、成功の「秘訣」でもある。その四つの原則とは、「大衆の需要を方向性とし、所蔵品の研究成果を基礎とし、文化・クリエイティブ製品の研究開発を支柱とし、文化製品の質を前提とする」というものだ。この四つの原則の指導のもとで、故宮の文化・クリエイティブ製品は初めて鮮明な特色と風貌をもつようになったのだ。

故宮博物院はずっと豊富な故宮文化資源の発掘に努めていて、自主研究開発・協力研究開発と社会の力を借りることを結合させた形式で、文化・クリエイティブ製品の設計開発を進めてきた。同時に対象となる社会需要と対象グループの違いにより、文化・クリエイティブ製品の種類にも区分がある。

一番目は、国家贈答品類である。故宮の文化・クリエイティブ製品の中には、国家イメージを代表する贈答品も少なくない。例えば、大鳳手刺繡ストールは、故宮博物院が所蔵する「月白緙《かく》糸鳳梅花灰鼠皮氅《しょう》衣」からインスピレーションを得ていて、寿の字と大鳳凰を主な図案とし、周囲を梅の花が取り巻き、梅の枝が長寿を象徴する団寿の字にからみつくという、中国の伝統的な古典的図案である。ストールの素材はシルクで、手で刺繡がほどこされ、清らかで美しいものとなっていて、国の外国元首への贈答品となっている。

二番目は専門書・学習書類である。故宮出版社の書籍は故宮文化・クリエイティブ製品の重要な一部であり、書籍出版には宮廷文化、文化財・芸術、明清史という三大分野がある。出版物として、故宮博物院収蔵品大系、故宮古典、紫禁書系などの多くのシリーズがあり、故宮学術研究の成果を刊行し、展覧・展示に合わせ、故宮文化を宣伝する重要な役割を果たしていて、美しく凝ったつくりで、内容も充実した故宮書籍は、多くの読者から好評を博している。

三番目は質の高い生活シリーズである。例えば、「海水江崖」シリーズ製品は、「国家が永遠に堅固で、統一支配されている」ことを寓意する刺繍が施された龍袍（皇帝の着用した龍の模様のある礼服）の図案を使い、テーブルランナー、ランチョンマット、紙ナプキンケース、キャンディボックス、パソコンケース、サイフ、パスポートケース、名刺ケース、ハンドバックなど多くの種類のオリジナル製品をデザインしたもので、外部には金色の海水江崖模様が織り込まれたシルクが使われ、内部には本革あるいはシルクが貼られ、宮廷や皇室ムードとモダニズムが完全に結合したものとなっている。

四番目はモダンデザインシリーズである。例えば「宮門」バッグは、故宮博物院の宮門を参考とし、門釘や金のドアノッカーなどのデザインエッセンスを取り出して、「故宮の赤」をメインカラーとし、スーパー繊維皮革を使って作られたもので、内部には仕切りが多く、とても実用的なものだ。「荷韵天福」シリーズの陶製茶器は、故宮の如意や祥雲などのデザインが施され、浅い水色の釉あるいは黒釉がかけられた、全体的にシンプルで優雅なもので、モダンな美と伝統の再設計という理念に満ちたものとなっている。

五番目は大衆の好みに合わせたシリーズである。われわれの製品は「故宮萌え」文化・クリエイティブ製品だと言った人がいるが、例えば広く大衆に受け容れられた「宮廷人形」ファミリーは、発売するや否や青少年の人気をさらった。それは「小皇帝」「小皇后」「皇子さま」「お姫さま」「御前近衛兵」「八旗人形」「状元郎」などの多くの紫禁城のかわいい精霊キャラクターである。

これらの製品はすべて「萌え」をデザイン理念とし、首振り人形、車内インテリア人形、スマホスタンド、デスク置き人形、調味料入れ、貯金箱、小盆栽、置物、便箋入れ、冷蔵庫マグネット、キーホルダー、アクセサリー入れなど豊富多彩な文化・クリエイティブ製品となっている。実際にはこれらの製品が故宮の文化・クリエイティブ製品の主流となっているわけではなく、わずか五%を占めるに過ぎない。

故宮博物院は文化・クリエイティブ展示と宣伝の方面でも多くのルートを切り開いている。

一つは実店舗販売だ。故宮博物院は多くの販売ルートを切り開き、さまざまな故宮オリジナル製品を買うのに便利なようにしている。商品種別と販売対象に応じて全院の販売ネットワークを新たに計画・配置し直し、環境とサービス施設をアップグレード・改造して、文化・クリエイティブ展示と宣伝を全院の全体発展の中に組み込んで、優れたサービスを提供している。

二〇一五年九月、故宮博物院文化・クリエイティブ体験館が故宮東長房にオープンした。文化・クリエイティブ体験館は故宮博物院の「最後の展示室」として、故宮博物院が研究・開発した各種のオリジナル製品を展示・販売するものだ。どの製品も故宮の文化資源を発掘したうえで、デザイン革新を経て発売された歴史性、知識性、芸術性、趣味性、時代性、実用性を融合した文化・クリエイティブ製品となっている。現在、文化・クリエイティブ体験館にはシルク館、服飾館、御窯館、映像館、木芸館、銅工芸館、陶磁工芸館、紫禁書院という八つの特色ある展示室があり、展示・販売されているオリジナル製品はすべて異なり、さまざまな人たちのさまざまな需要に応えている。

故宮文化・クリエイティブ体験館は、製品陳列、文化的ムード、テーマデザインなど多くの方面で全力を尽くし、故宮博物院が研究開発した各種の文化・クリエイティブ製品を集中的に展示・販売

故宮猫とそのシリーズ製品

←↓宮門とそれをテーマにしたバッグ

する以外にも、優雅で生き生きとした、豊富な伝統文化ムードを提供していて、ここで故宮文化を集中的に体験することができる。

このほか、端門の西側にある部屋にも故宮ショップが設けられた。店内は巧みに設計され、美しくしつらえられ、テーマは多様で、それぞれに特色がある。神武門外の東西両側にもまた、再度の設計・プラニングを経て、二列の故宮文化長廊が造られ、故宮博物院の優れた書籍やオリジナル製品を展示・販売し、故宮文化をより広く伝えていて、アプローチも容易となっている。

この二つの場所は共に紫禁城の城壁の外にあり、故宮博物院に入らなくても、気に入った故宮オリジナル製品を買うことができる。氷窖レストランでコーヒーを飲み、紫禁城外でオリジナル製品を買えば、故宮文化をより身近に感じることができるだろう。

二番目として、ニューメディア宣伝がある。実店舗以外にも、インターネットやニューメディアもまた、故宮文化・クリエイティブ製品の展示と宣伝の重要な手段となっている。前に書いたように、「故宮淘宝」公式フラグシップ店以外にも、「故宮微店」

が二〇一五年十二月に正式にネット上に登場し、「ちょっと新鮮で、優雅で高品質な生活」を目標に、生活を豊かにする製品を主に販売している。ショップは微故宮公式アカウントの中の「逛一逛（ちょっとぶらぶら）」の中にある。故宮微店の製品はデザインが美しいだけでなく、深い歴史的・文化的味わいがある。現在、故宮微店には六つのテーマの文化・クリエイティブ製品があり、絵画・陶磁器・文房四宝・文献典籍・服飾など、多くの分野の製品をカバーしている。

三番目は、その他の形式による宣伝だ。故宮文化を伝える形式とコンテンツはますます活発となり、多様化している。例えば二〇一六年六月、故宮博物院は首都空港で「文化国門名画大観―『韓熙載夜宴図』デジタル芸術展」、「呉門煙雨」古典庭園景観の再現を行い、さらに南音古楽、梨園舞踏、生け花、茶道、香道なども加わって、文人の伝統生活のイメージを蘇らせ、紫禁城の生活美学を時を超えて再現した。同時にロイヤル・カリビアン・クルーズに故宮文化・クリエイティブ製品が搭載され、故宮文化を広めている。その後、故宮博物院はアリババや騰訊（テンセント）などと提携し、入場券とオリジナル製品と出版を三大ジャンルとした「故宮博物院公式フラグシップ店」を出店し、アリ旅行と天猫プラットフォームで正式にリリースされ、最大限に機能と需要の多様化をはかった。また、騰訊と提携し、「ネクストアイデア騰訊イノベーション大賞」を舞台としたスタンプデザインやゲーム創作を手始めに、伝統文化の活性化モデルなどを模索した。これらの措置は故宮博物院の「文化＋」の道をますます広いものとしている。

故宮博物院はまた、人々のライフスタイルを牽引しようとする模索も行っており、生活に溶け込んだ文化・クリエイティブ製品をつくるのみならず、生活美学を伝えることを目的とした故宮文化体験センター「紫禁書院」もまた、初めて故宮から飛び出し、深圳の塩田に開設された。「故宮文化を家に持ち帰る」使命と責任を担った紫禁書院は、「書籍・書画・文房、優雅な生活」をテーマに、モダンなデザインとアイデアで、伝統的な書香に満ちた故宮現代文化スペースをつくりあげている。

現在、「紫禁書院」分院は景徳鎮・珠海・福州・武夷山・青島などの都市で正式にオープンしている。今後逐次全国各地で根を下ろし、故宮文化の多元的・多層的な伝播と普及を実現させるだろう。

二〇一七年、故宮文化・クリエイティブ製品とブランドの国際的普及が試みられ、フランクフルト国際文房具・オフィス用品展示会、ベネチアビエンナーレの中国公式展『記憶と現代』、ラスベガスのライセンシング・エキスポなどへの展示参加が行われた。国内では、中国無形文化遺産伝統技術大展、杭州文化イノベーション産業博覧会、国際文物保護設備博覧会、海峡両岸（アモイ）文化産業博覧交易会などの展示会に参加している。故宮文化・クリエイティブ製品はさらに故宮博物院の世界各国の展覧と共に、世界各地の博物館にも出現している。

それだけではない。二〇一八年五月、故宮博物院は「文化財に息を吹き込む——故宮文化・クリエイティブ展示会」を日本で開催し、故宮文化・クリエイティブ製品の中でも銅器・漆器・磁器・木器の4シリーズの内容の一部を集中的に展示した。これらすべての文化・クリエイティブ製品の創作は、みな故宮博物院所蔵品の文化資源情報からきており、伝統工芸技術を深く掘り起こし、入念に手作りされていて、故宮文化・クリエイティブ製品の中でも逸品といえ、無形文化遺産の伝承をも実現している。

われわれにとって最も重要なこととは、自分たちの文化ＩＰ（識別番号）を探し当てることだ。最後に、いかに文化・クリエイティブをうまくやっていくかについて、われわれの三つのコツをお教えしよう。それは、調査・研究、観察・分析、アイデアの活用だ。人々に喜ばれる製品であればあるほど、その品質を向上させる必要があり、そうすることではじめてブランドを形づくることができる。現在、素晴らしい生活へのニーズは日増しに増大しており、文化・クリエイティブ製品に対する要求もより高くなっていて、文化的内容をもつだけでなく、品質に優れる必要があり、エコで実用性が強いなどの必要もある。

そうすれば、誰もがとても素晴らしい文化・クリエイティブ製品をつくりあげることができるだろう。

故宮の「ブランド」化

「故宮文化・クリエイティブ製品」の社会的影響力がますます強くなっているとお感じの方も多いことと思うが、われわれは文化・クリエイティブだけでは足りないとはっきりと認識している。われわれはさらに、開放を重視し、伝統文化とインターネットの相互作用で、一般に開放された文化空間と文化的な場所をつくりあげ、人々の文化財保護の現状を知る権利、参与権、監督権、受益権などを尊重し、文化財保護を全民参加の実践とし、博物館を学生の第二の教室とする必要がある。「故宮」は社会における正真正銘の著名文化ブランドになる必要があるのだ。

今までずっと続けられてきた大衆教育サービスプロジェクト以外にも、故宮博物院は社会教育方面ですでにブランドイメージを打ち立てている。毎年行っている各種の大衆教育活動はのべ二万五千回に達し、直接の参加者はのべ二十万人にのぼる。大衆教育サービスプロジェクトの代表的なブランドとして、「故宮講壇」「故宮知識教室」などの大衆教育プラットフォームがある。「故宮講壇」は成人向け特別講座で、このブランドの忠実なファンは還暦を過ぎた高齢者から青春まっさかりの二十代までさまざまだ。講座をおもに担当するのは故宮博物院の著名学者や青年・熟年の業務の中核を担う人だ。その内容は故宮文化に深く関連するもので、古建築・文化財研究と鑑賞、明清の歴史、文化財の科学技術的保護、無形文化遺産保護など多くの分野に及んでいる。

人気分野の専門家の講座はとても人気が高く、すべてを立ったまま受講する人もいる。二〇一七年、「故宮講壇」は「特に人気のある終身学習ブランド」の称号を受けた。

「故宮知識教室」は、二〇〇六年に正式にスタートした青少年向けの講座で、より気軽で活発で、参与性がより強く、子どもたちや親たちに人気がある。何万もの青少年が「故宮知識教室」の活動に参加し、知識と楽しみを得ている。

このほか、専門人材の育成に専念した「故宮学院」ブランドもある。故宮学院は二〇一三年に成立し、主要業務は故宮博物院の内部職員の研修、国内博物館界および関連業界の研修、大衆教育と国際研修で、「自分自身に向けて、業界に向けて、全国に向けて、世界に向けて」行うものだ。研修内容は、宮廷の歴史・文化、文化財鑑定、文化財修復と保護、古建築保護、博物館実務などの分野で、知識と技能、理論と実践を共に配慮している。故宮学院は故宮博物院のために奉仕し、さらに国内外の博物館と関連業界に広く影響力を及ぼし、しだいに文化・博物館業界の重要な人材育成基地になりつつある。

われわれの「故宮サービス」もまた、今や高名なブランドとなっている。近年、故宮博物院はずっと開放地区拡大に努めていて、ますます多くの風格が異なる古建築群が公開され、壮大で美しい紫禁城を見たいという人々の欲求を満足させている。故宮古建築全体の保護工事である「平安故宮」工事は、来場者の安全と

故宮講壇百回目の特別イベント（二〇一七年二月十二日）

故宮の安全を実現し、博物館事業の発展に堅い基礎を打ち立て、全面的にプレハブ仮設建築を解体し、総長何千メートルにも及ぶ鉄柵を取り除き、伝統的なレンガや石敷きの地面を回復させ、マンホールを平らにし、灯籠を設置し、花木を植え、美しい観覧環境を提供している。サービス管理方面でも改革に力を入れ、全面的なインターネットでのチケット販売を実現して、毎日の入場者数を制限し、ベンチを増やし、トイレの割合を増やし、ベビールームを設置し、より完全なサービスを提供して、「故宮サービス」という理念と文化ブランドを打ち立てている。

二〇一七年、北京市観光委員会と故宮博物院などが共同で『故宮サービス』という書籍を出版し、全面的に故宮博物院の近年の公共サービス向上における一連の手法を公開した。「故宮サービス」は国内外の博物館と観光地サービスのモデルケースになりつつある。私はかつて、「誠心」「清心」「安心」「職人魂」「満足」「喜び」「快適」「熱心」という八つの言葉で、故宮博物院がいかに来場者にサービスするかについて総括したことがある。その本質とは、故宮博物院は人にやさしい、人のためのサービスという理念を採用する必要があり、その目的は、故宮の文化資源を人々の現実生活の中に取り入れてもらうことにある。われわれにとって、これは管理革命であり、その核心となる理念とは、すべての日常業務を来場者の利便を中心とすることで、異なるサービス理念は必然的に異なる効果を生む。今後、「故宮人」は真剣に己の使命と職責を果たし、「故宮サービス」という理念と文化ブランドをより良く、より強いものにしていくだろう。

現在、故宮博物院内に設けられた部署・機関は三十八あるが、その中で故宮文化・クリエイティブ製品の研究・開発に関わっているのは、経営管理処、サービスセンター、故宮出版社、資料情報センターの四つだ。中でも故宮出版は、とても素晴らしい文化ブランドとなっている。

故宮博物院は一九八三年に故宮出版社を設立し、故宮文化関連の書籍出版を担当し、故宮出版社の下に故宮文化伝播公司を設立して、統一的に文化・クリエイティブ製品と出版物の宣伝・販売を行っている。故宮出版社は書籍や雑誌、ポストカードなどの文化製品により、故宮文化を生き生きと紙の上で再現している。『故宮博物院収蔵品大系』に掲載された収蔵品はどれもすべて世にもまれな至宝であり、ほとんどが初公開のもので、極めて高い学術研究と文化伝播価値がある。『故宮博物院明清家具全集』には、故宮博物院が収蔵する家具二千点あまりが収録され、ほとんどすべての明清家具の種類、特に宮廷スタイルの家具が含まれる。『迷宮・如意琳琅図籍』は極めて斬新な「独特な実体書籍＋オンラインゲームの謎解き体験」といった形態のもので、読者に故宮文化の新しい境地や趣きを体験させてくれる。

多くの出版物の中で、比較的知名度の高いものとして『故宮ごよみ』がある。二〇〇九年の『故宮ごよみ』は、一九三七年版を復刻出版したものだ。『故宮ごよみ』は故宮の収蔵品や伝統文化を紹介する一般読み物であり、故宮の歴史と文化を満載していて、どのページの内容・文字・写真も入念に選ばれ、故宮博物院の豊富な文化財と深い文化的内容の中から中国の伝統文化の精華を追い求めようとするものだ。『故宮ごよみ』は発売後間もなく、文化・クリエイティブ界の「爆売れ」製品となり、「英語・中国語二か国語版」「オーダーメイド版」などもつくられ、代表的な故宮文化・クリエイティブ製品の一つとなった。

今日、故宮博物院というブランドはすでに文化伝播のラッパを吹き慣らしている。今後、われわれは続けてこのブランドを強く、大きなものとしていくだろう。故宮文化を何万、何億もの人々の生活の中に溶け込ませ、世界各地へと向かっていくのだ。

あとがき——文化の力

私は小さい頃から四合院の中で育ったが、自分が「世界最大の四合院」で仕事をするなんて思ってもいなかった。四合院では四季がはっきりしていて、地に足をつけ、空を望むことができる。

実際、故宮のどの部屋にも、どこの土にも深い愛情を抱いていて、これは私が故宮博物院の院長になってからのものではない。一九八九年、私の息子は五歳で、そのとき私の妻は外国留学していて、ふだんは妻の両親が子どもの面倒を見ていたが、日曜は私が面倒を見ることになっていた。彼が「週末にはどこに行くの?」と聞いたので、私は「皇帝が住んでいた場所に連れて行ってあげるよ」と言って、故宮へ連れて行った。次の日曜日も、また彼を連れて行った。さらに次の日曜日には、もう彼は連れて行っても喜ばなかった。続けて五回、私は日曜日に子どもを連れて仕事をして、故宮の細部に至るまで撮影を行い、仔細に研究した。私はこうした広大な皇室の古建築を、観光地に行くようにではなく、一冊の本を読むように取り扱おうとした。

故宮で「門番」になってからというもの、毎朝八時、私は西に向かい、故宮をぐるりと一周した。メディアの友人たちは私のことを「故宮の九千三百七十一間の古建築の部屋をすべて渡り歩いた初めての人物」だの「故宮の収蔵品の数を正確に数えた初めての人物」だのと報道した。私

は、これは「門番」としては当たり前のことだと思った。あるメディアは、私がいつも伝統的な手法で作られた布靴を履いているのを見て、「その布靴は入手しやすいのか」と聞いた。私は「ちょうどネットで二十足買ったところなんだ」と答えた。ここから「就任してから五カ月で二十足の靴を履き潰した」というエピソードが生まれた。実際には故宮の「門番」をしているここ数年、私が履き潰した靴は二十足にとどまらない。布靴を履いて故宮の中を歩き、朝もやがたちこめる時、西の山に日が落ちる頃、そして月が登り始めたとき、故宮を眺めていると、静かに故宮を守っていることの幸福が、心の底から湧き上がるのを感じる。

紫禁城は六百年もの間、多くの歴史と記憶をのせ、時代の変化を見届けてきた。現在、博物館界でも、関連学界でも、文化財界でも、メディアでも、みな改革を考えていて、どこも改革中だ。長い間、博物館の人は、ここで展示されている貴重な文化財は歴史も文化もあるのに、多くの人はショッピングを選び、博物館には眼もくれようとしないといらだち、不満をもらしてきた。博物館というと、人の最初の反応は、面白くないというもので、冷たく、単調というのが展示ケースの中の文化財の代名詞となっていて、多くの人はカメラにそそくさといくつかの写真を収めて去って行き、収穫を得るなどというものではない。故宮の文化遺産資源をどうやって「活かす」かは、故宮博物院が考え、研究し、実践しなければならない重要な課題なのだ。

私の考えでは、文化財自身が生きたものであり、歳月は静かに痕跡も

イタリアのフィレンツェドイツ研究センターの
アレッサンドロ・ノヴァ主任と共に

アメリカのメトロポリタン美術館で開かれた
「中国—鏡花水月展」のプレスコンファレンス

なく流れるわけではなく、われわれが発見しようとしていないだけだ。文化財の価値もまたわれわれが発掘しなければならないものではなく、それ自体に存在するものだ。

われわれに十分な歴史的知識が備わっていないときでも、こうした好奇心をもってそれらに近づくべきで、これが文化財がもつべき尊厳を得させる。これから後われわれは、文化は遠くではなく、器物の上にあるという見方で文化財を見るようになるだろうと私は信じている。

今日、故宮博物院の建設と発展は社会各界の支持を得ていて、故宮博物院はより良い展覧を行い、より豊富で多彩な活動を行うことにより、社会に報いる必要がある。二〇一九年、故宮博物院は北京市から都市の中軸線のライトアップを要求する通知を受けた。その時すでに、故宮博物院の職員はみんな休暇に入っていたが、旧暦正月三日に関係職員たちに戻って来てもらい、準備を始め、四日間で研究・開発を終え、八日で設置を完了させて、十二日間の努力で故宮博物院はとうとう期日どおりの旧正月十五日（元宵節。この日の夜、飾りちょうちんなどの灯りを楽しむのが中国の伝統的な習慣）に初めて夜間対外開放を行い、初めての夜間の紫禁城ライトアップを大々的に行った。

人々は故宮の城壁にのぼり、展示室をはしごし、午門雁翅楼内部の「賀歳迎祥——紫禁城の年越し展」、東華門内の「造営の道——紫禁城建築芸術展」、神武門内の「エーゲ遺珍——ギリシア・アンティキティラ島水中考古文物展」を見て、展示室内ではさらに芸術家による公演も

呉良鏞《よう》教授に故宮博物院を案内する

耿宝昌先生と共に

鑑賞できた。城壁に沿って進むと、灯光のもとで光り輝く紫禁城が見える。城壁の上からは古建築の上に投影された壮大な『清明上河図』『千里江山図』を見ることができ、暢音閣大戯楼の中では京劇芸術家の公演が行われ、角楼の中ではバーチャルリアリティー映像が放映され、城壁を下りると光によって投射された赤壁の上の「上元節の詩句」が鑑賞できる。故宮博物院は二晩にわたって、北京地区の模範労働者と予約してやって来た北京市民を受け入れ、同時に百二十五カ国の大使や外交官もこの活動に参加した。人々は夜の故宮博物院で未曾有の文化体験を享受した。数百の国内外のメディアも故宮の美しい景観を全世界に大量に発信し、夜の神秘的なベールを開いた紫禁城が、現代都市生活の中の故宮が、民衆の文化的需要を満足させるためにたゆまぬ追求を行っている故宮博物院が、新しい姿で現れ、世界にその姿を見せたのだ。

明清二王朝では、天灯や万寿灯を立てることが宮廷内のとても重要な行事の一つとされていたが、一八四〇年のアヘン戦争勃発以降、清朝は衰退し、乾清宮の前に天灯や万寿灯を立てるだけの力を失った。二〇一九年の新中国成立七十周年、故宮博物院は再び高さ十一メートルの一対の万寿灯と、高さ十四メートルの一対の天灯を乾清宮の前に立てた。多くの人がこの景観を見に来て、八十カ国の在中国大使が万寿灯と天灯の前に集まり、記念撮影をした。

三カ月を会期とした「賀歳迎祥——紫禁城の年越し展」は閉幕したが、苦労してつくりあげた万寿灯と天灯と宮灯がこれで消えてしまうべ

故宮養心殿古建築修理保護現場会

「太和・世界古代文明保護フォーラム」代表が故宮文化財病院を視察した

きではなく、これらが都市の中で保存されてほしいと思い、故宮博物院はそのためにチャリティー競売会を開き、競売で得られた資金はすべて国の認定を受けた貧困県に寄付すると発表し、この行動は社会の支持を得て、最終的に一対の万寿塔と天塔、そして宮灯は二千万元余りで競り落とされて、すべての代金が広西や内蒙古などの四つの貧困県に寄付された。金額は多いとはいえなくても、われわれはこれを誇りに感じた。今まで博物館はいつでも寄贈される側にあったが、今では故宮博物院も人に寄贈することができ、貧困支援は今日の中国で最も重要な時代的任務であり、故宮博物院もまたこれに参加することができ、全面的な小康（ややゆとりのある）社会の建設に貢献することができたのだ。

故宮博物院の実践は、何が文化遺産の良好な保護状態であるかということを証明した。文化遺産資源を倉庫の中に閉じ込め、ひたすら守るのではなく、文化遺産を再び社会生活の中に戻すべきなのだ。なぜなら文化遺産はもともと社会から来たもので、普通の民衆がつくりあげたものだからだ。今日、文化遺産を人々の現実生活の中で再び独特な魅力を放つものとすることではじめて、魅力ある文化遺産が人々の手厚い保護を得ることができ、尊厳ある文化遺産だけが社会の発展を促進する積極的なパワーとなる得るのだ。中国の大地にある豊富で多彩な文化遺産資源が、系統的な整理と科学的保護により、すべて社会発展を促進する積極的な力となり、より多くの人々にその恩恵を及ぼし、多くの人を文化遺産保護の行列に加わらせるようになれば、初めて良好な文化遺産の保護

特別テーマ報告を熱心に聞く観衆

国慶節ビジターサービスチーム

状態にあるといえ、それによりはじめて文化遺産保護の好ましい循環を形づくることができる。

故宮博物院の実践は、優れた博物館とは何かということを証明した。大規模な建物、豊富な所蔵品、絶えず増加する来場者が優れた博物館を決める基準ではない。人々の現実生活の需要を深く研究し、博物館の文化資源を深く掘り起こし、強大な文化エネルギーを引き出し、常に人を引き付ける展示を行い、常に豊富で多彩な活動を行って、現実生活の中で博物館が身近にあると人々に感じさせ、暇な時間があれば博物館に行き、博物館に入ると時間を忘れて夢中になり、家に帰った後もまた博物館に行きたくなる。これこそ優れた博物館であるといえる。

「系統的に伝統文化資源を整理し、禁宮の中に収蔵されている文化財、広い大地の上の遺産を陳列し、古籍の中に記された文字をすべて活かす」。まさに、故宮博物院が断固として文化財を「活かす」という理念を貫いてきたからこそ、苦しい努力を経てきたからこそ、今ようやく、「壮大で美しい紫禁城を完全なまま次の六百年に引き渡す」という厳粛な約束を実現できるのだ。

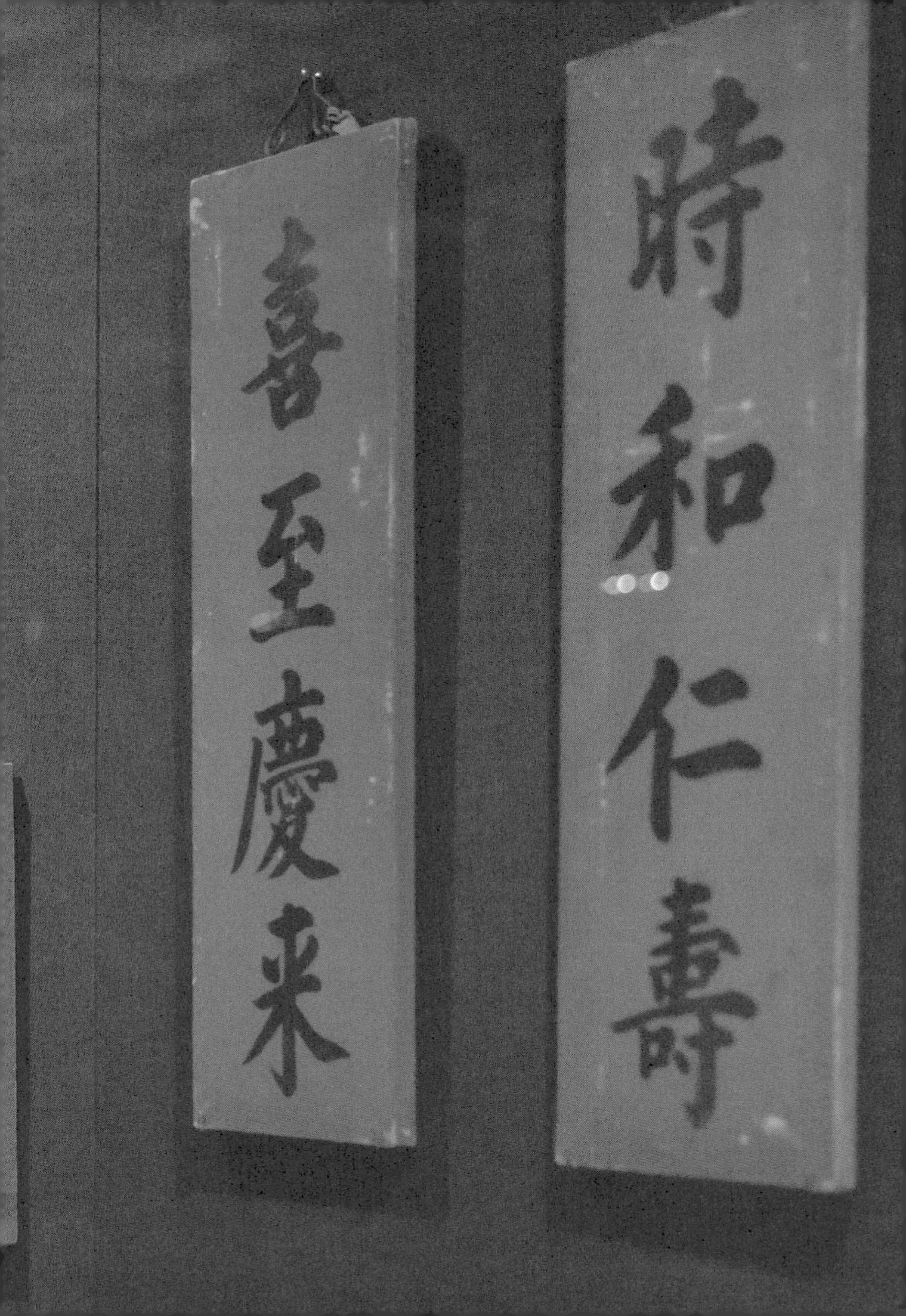
時和仁壽
喜至慶来

午門雁翅楼の「賀歳迎祥——紫禁城の年越し展」の一角

著者●単《ゼン》 霽翔《セイショウ》（Shan Ji-xiang）

研究所員、高級建築士。シティアーキテクト特許取得。清華大学建築研究科博士課程修了。工学博士（都市計画とデザイン専攻）。中国文物学会会長、中央文史研究館特約研究員、故宮博物院学術委員会主任。北京市文物局局長、房山区区委書記、北京市計画委員会主任、国家文物局局長、故宮博物院院長などを歴任した。第10期、第11期、第12期中国人民政治協商会議（全国政協）委員。

訳者●福井《ふくい》ゆり子《こ》

東京都生まれ。立教大学文学部史学科卒。出版社に勤務後、北京へ留学。中国国営雑誌社勤務を経て、現在、日本で翻訳業に従事。

カバー写真　iStock.com/bingdian
イラスト　iStock.com/Val_Iva

私は故宮の「門番」

2022年6月30日　第1版第1刷発行

著　者　単《ゼン》 霽翔《セイショウ》
訳　者　福井ゆり子

発行所　株式会社 尚斯国際出版社
〒101-0051　東京都千代田区神田神保町3丁目11番　安田神保町マンション505
電話　03-4362-0075

発売元　株式会社 日本出版制作センター
〒101-0051　東京都千代田区神田神保町2丁目5番　北沢ビル4F
電話　03-3234-6901

発行人　穆 平

デザイン　大野愛子
印刷・製本　株式会社日本出版制作センター

Shoshi International Publishing Inc.
Printed in Japan
ISBN 978-4-902769-92-0

我是故宮「看门人」
I am the “Concierge” of Palace Museum